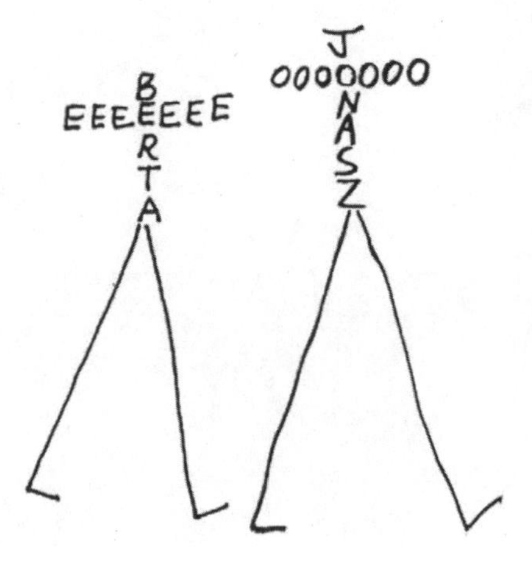

KRONIKA NAMIĘTNOŚCI
IRONICZNA
METEOROLOGICZNA
I BARDZO MAŁO LOGICZNA

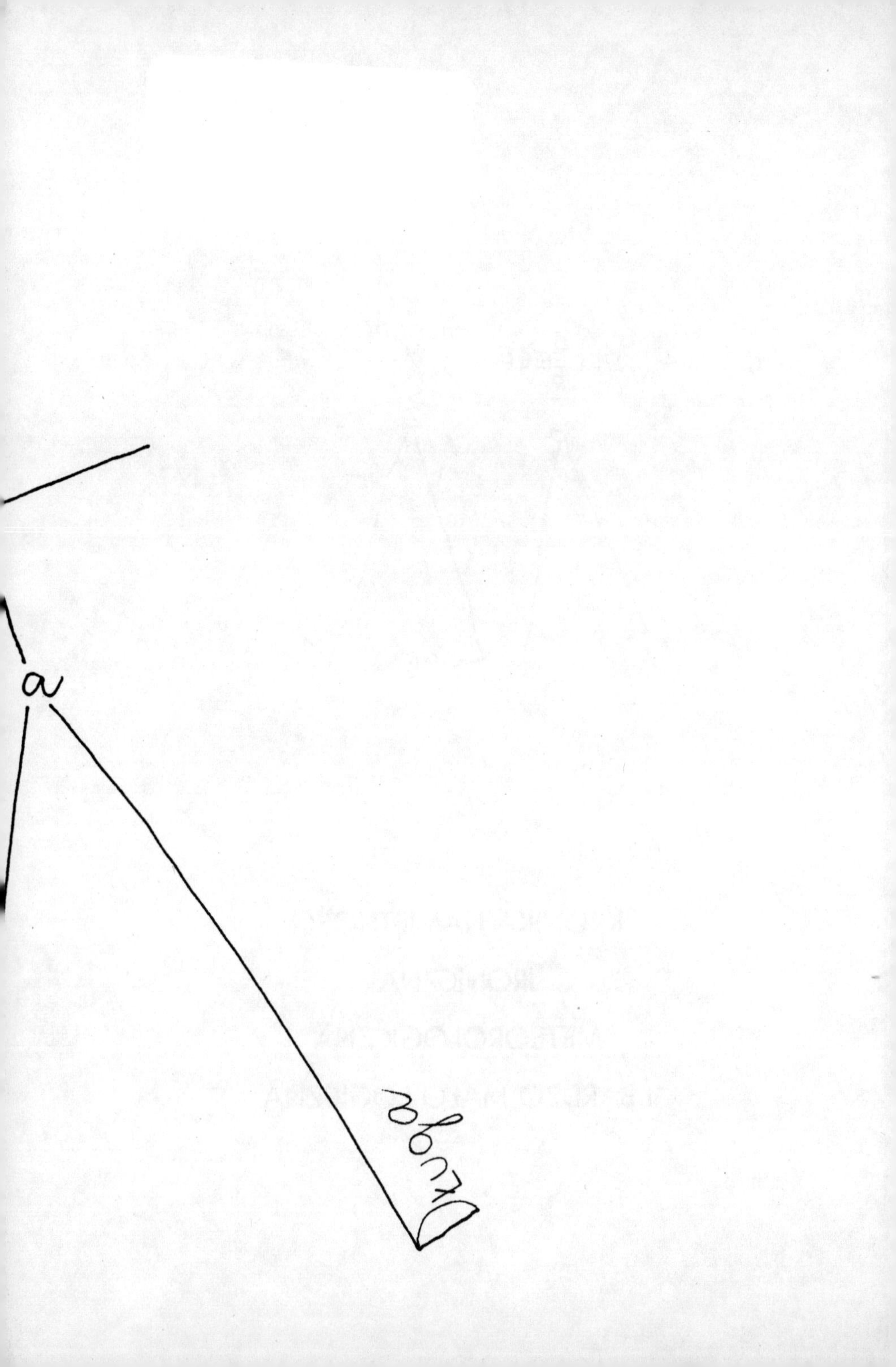

CUCA CANALS

DŁUGA BERTA

przełożyła Joanna Skórnicka

Warszawskie Wydawnictwo Literackie MUZA SA

Tytuł oryginału: *Berta la Larga*
Projekt okładki: *Anna Gosiewska-Bimer*
Redakcja: *Maja Lipowska*
Redakcja techniczna: *Zbigniew Katafiasz*
Korekta: *Marianna Falk*

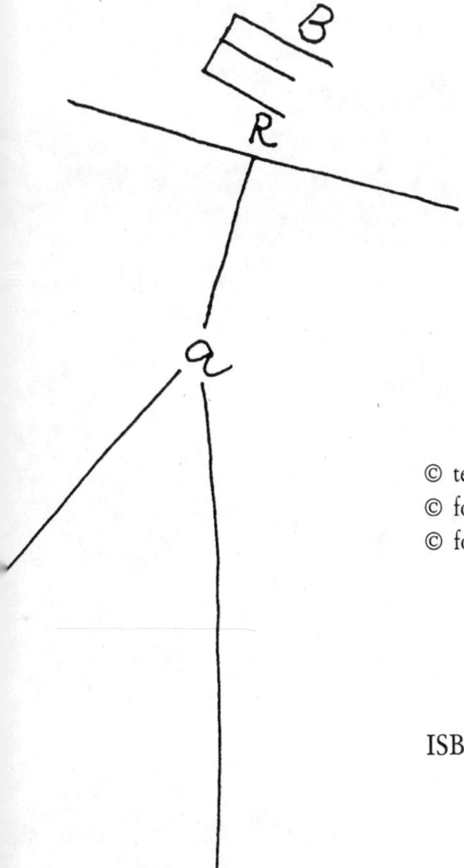

ISBN 83-7319-335-9

Warszawskie Wydawnictwo Literackie
MUZA SA
Warszawa 2003

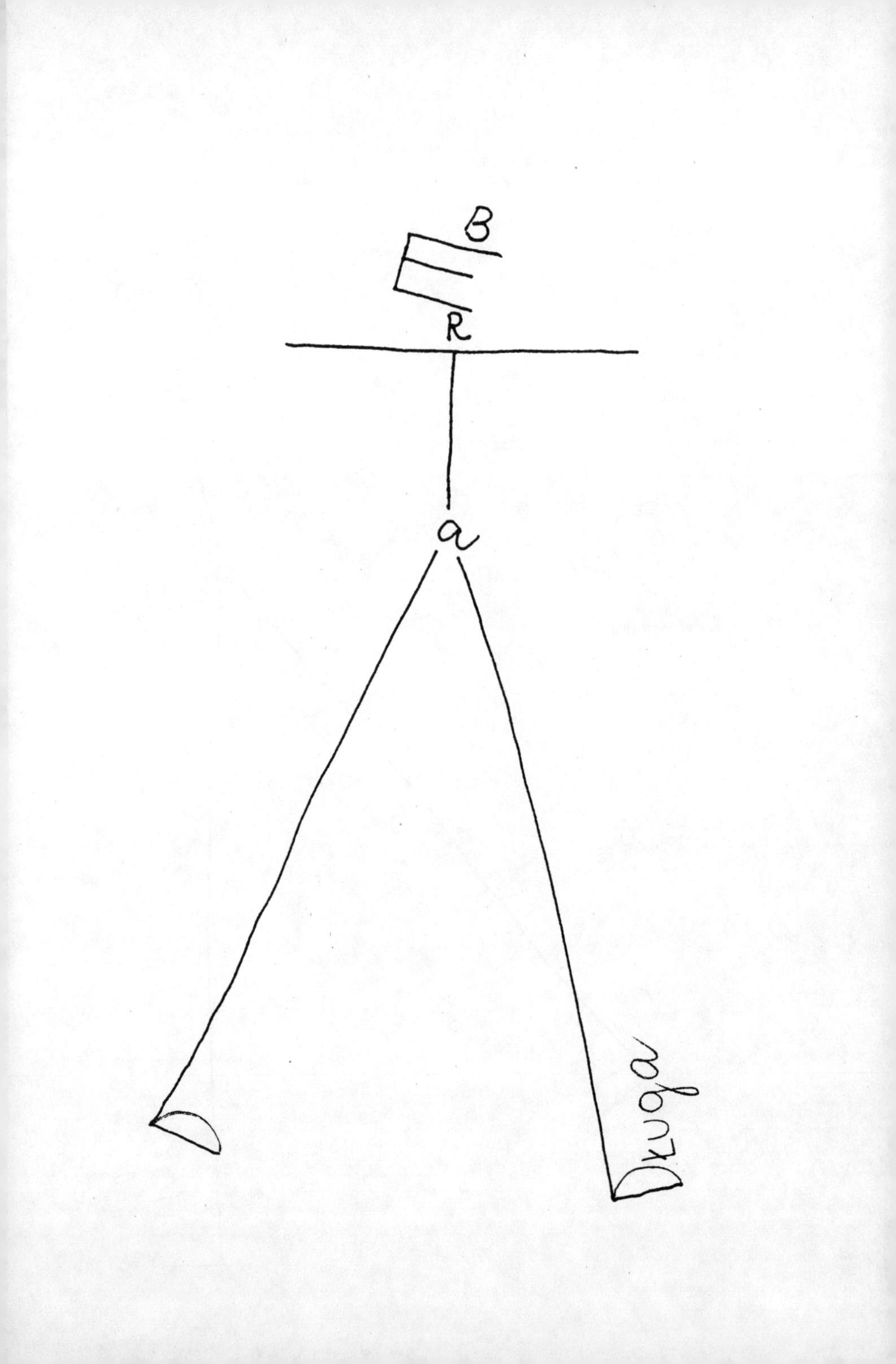
B
R
a
Druga

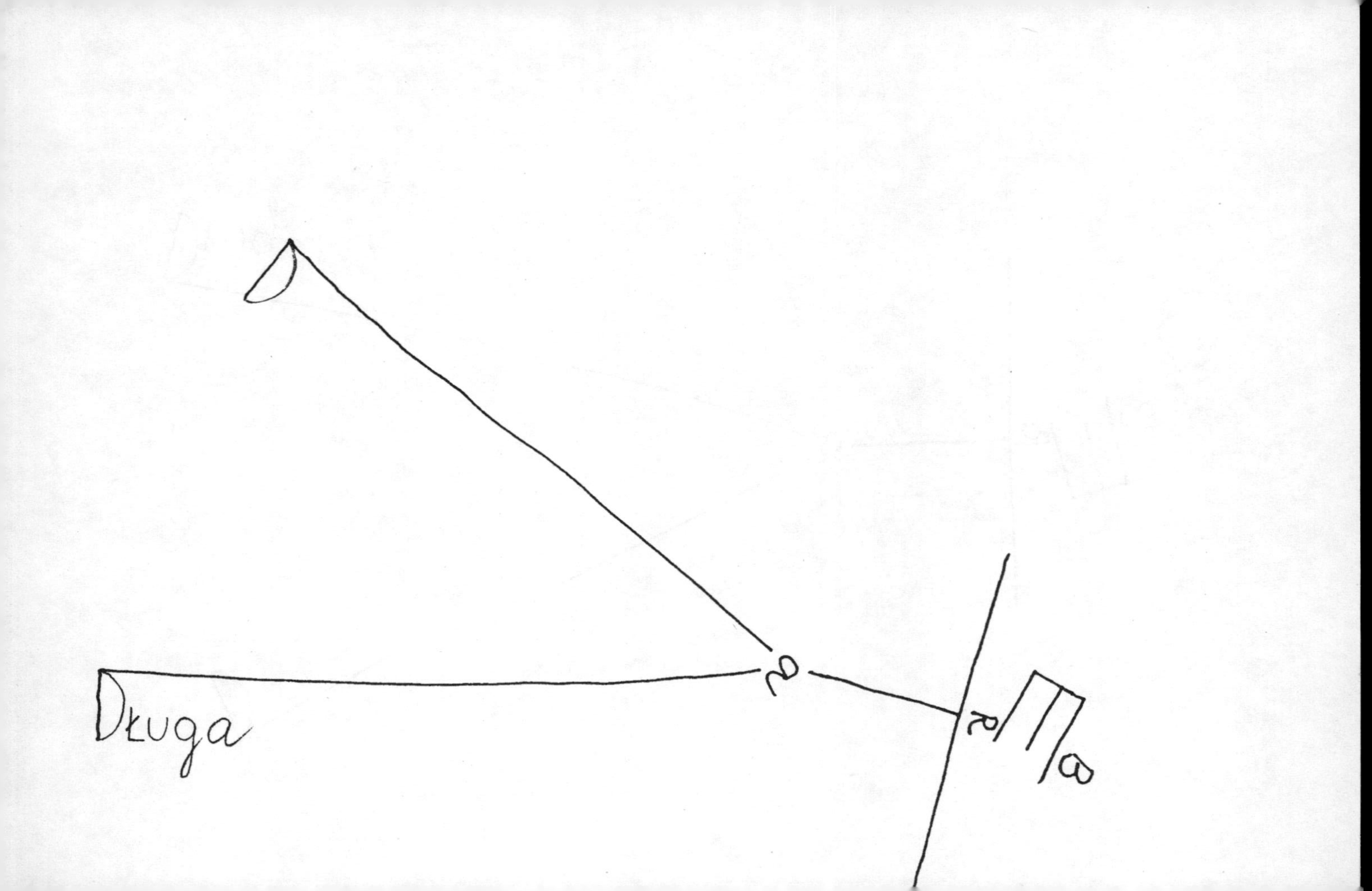
Długa
a
R
B

Moim Rodzicom

Osioł Fryderyk wita Państwa w wiosce Navidad

Berta Quintana skończyła właśnie szesnaście lat, miała metr dziewięćdziesiąt wzrostu i była najdłuższą ludzką istotą w Navidad, i najprawdopodobniej w całej okolicy, w której najwyżsi mężczyźni rzadko przekraczali metr siedemdziesiąt, a kobiety uważano za wysokie, kiedy osiągały metr sześćdziesiąt.

W dodatku była bardzo szczupła, przez co wydawała się jeszcze dłuższa. Miała urodę rzeczy kruchych, cerę bardzo delikatną, twarz wiecznie bladą, a oczy pełne lęku. Berta nienawidziła siebie za to, że jest tak długa, gdyż wiadomo, że żaden nawidyjczyk nie lubi, żeby kobieta patrzyła nań z góry, i tak stała się jedyną nastolatką w Navidad, której nie było dane zaznać miłości. Z tej przyczyny, jak również dlatego, że osiągnęła wiek zwany trudnym, nieraz myślała sobie, że stokroć lepiej by się stało, gdyby nigdy nie przyszła na świat. Lecz przyszła.

W dniu narodzin Berty Quintany świat tonął w strugach deszczu. Poprzedniej nocy ojciec, Juan Quintana, poszedł wezwać lekarza, który mieszkał w sąsiedniej wiosce, Ponsie. Dotarli do Navidad o świcie, całkiem przemoczeni i ubłoceni;

aż na ulicy słychać było krzyki rodzącej. Lekarz poczuł się wyczerpany, zanim jeszcze zabrał się do pracy, i pomyślał, że samo przybycie do Navidad już było jak poród, więc przede wszystkim zapragnął umyć się od stóp do głów, nie tylko dla higieny, ale i dlatego, że był człowiekiem niezwykle próżnym. Jak dotąd nic nie wskazywało na to, iż narodziny Berty będą różnić się od narodzin innych dzieci, tyle że w momencie, w którym rozpoczął się poród, niebo zaczęło się przejaśniać i rozbłysła na nim przepiękna Tęcza. Nawidyjczycy wyszli na ulicę i oglądali ją, rozdziawiwszy gęby.

Wedle starej legendy, znanej wszystkim w Navidad, jeżeli dziecko przychodzi na świat w blasku Tęczy, otrzyma jakiś szczególny dar. Właśnie dlatego wszyscy mieszkańcy wioski zaczęli się tłoczyć u drzwi domu Quintanów, chcieli się bowiem przekonać, czy dziecię urodzi się dokładnie w tym momencie. Nawet Alberto Cukiernik, człowiek bardzo nietowarzyski, oderwał się od pracy, aby nie ominąć wydarzenia, które, jak wszyscy sądzili, było najważniejszym w całej historii Navidad. I tak być musiało, gdyż nawet matka, Roberta Anaya, z większą uwagą spoglądała w okno, niż słuchała wskazówek lekarza. Pełne nadziei oczekiwanie nie poszło na marne, zważywszy, iż po raz pierwszy od trzystu lat Berta miała być nawidyjką, która pojawiła się na świecie w blaskach Tęczy.

Tyle lat czekania przydało się, by mieszkańcy Navidad, z pokolenia na pokolenie, mogli sobie wyobrażać najrozmaitsze cudowne dary, przeważnie związane z bogactwem, czymś całkowicie im nieznanym. Powiadano, że dziecię Tęczy będzie umiało przemienić chleb w złoto, jednym paluszkiem orać będzie ziemię, doić jednocześnie aż tuzin krów, zdoła ściąć cały las lub krople deszczu przekształci w banknoty i monety. Inni woleli, żeby Tęcza zmiotła z powierzchni ziemi wioskę Ponsę, z której mieszkańcami łączyły ich jak najgorsze stosunki.

Prócz darów, jakie miały służyć całej społeczności, każdy ze zgromadzonych przed domem Juana Quintany nawidyjczyków marzył o tym, że Tęcza będzie panaceum na wszelkie jego kłopoty. Pedro Ślepiec powiedział, że wystarczy, jeżeli odzyska wzrok; zamężne kobiety pragnęły być powabne i smukłe, do którego to życzenia przychylali się wszyscy mężowie, w niedługi bowiem czas po zamążpójściu ich małżonki zaczynały przypominać krowy. Alberto Cukiernik i jego żona Remedios prosili, żeby cokolwiek zmądrzał ich syn, który im wyszedł przygłupi. Dzieci wyobrażały sobie, że Tęcza przyniesie im najrozmaitsze zabawki, albo że już nigdy nie będą musiały chodzić do szkoły, ależ byłoby fantastycznie. Staruszkowie marzyli, że znowu staną się młodzi, a maluchy – że dorosną. Panny na wydaniu roiły o książętach z bajki.

Margarita Cifuentes okazywała najmniej umiaru w swych ambicjach i nie ustawała w wyliczaniu żądań: chciała mieć błękitne oczy swej babki Margarity, porcelanową płeć kuzynki ze stolicy, czarnoskórego służącego, pragnęła, by wyszlachetniały maniery jej męża itd. Inni byli bardziej powściągliwi: młody mieszkaniec Navidad, łysy jak kolano, powiedział, że wystarczyłoby mu, gdyby odzyskał włosy. Za to jego brat, włosów mający pod dostatkiem, pragnął jedynie posiadać dość pieniędzy, by wsiąść na statek i przemierzać oceany. Stara panna, która miała kompleksy, gdyż natura prawie pozbawiła ją piersi, marzyła o olbrzymich cycach, jak u Roberty Anai, aby jakiś mężczyzna wreszcie zwrócił na nią uwagę. A niektórzy, choć nie wyrazili tego otwarcie, pragnęli, by spotężniała ich męskość. I jednego jeszcze daru pragnęli, wszyscy zgodnie – może Tęcza zdoła uciszyć tę nieznośną Margaritę Cifuentes, która nadal wyliczała: żeby otworzono w Navidad herbaciarnię, żeby chodziła ubrana według paryskiej mody, żeby jej mężowi Felicianowi nie odbijało się po jedzeniu itd. itd.

Jedynym nawidyjczykiem, który nie myślał o Tęczy, był Juan Quintana, ojciec bardziej zatroskany o to, czy dziecko przyjdzie zdrowe na świat, niż zainteresowany jakimś zjawiskiem meteorologicznym, tym bardziej że pamiętał, jak strasznie głupi okazał się syn Alberta Cukiernika. Czekając w korytarzu, Juan Quintana nie mógł przestać myśleć o swym przyjacielu, było mu go coraz bardziej żal; kiedy Alberto się dowiedział, że syn wyszedł mu przygłupi, postanowił, że nie będzie nosił jego imienia i nadano mu imię Amadeusz, które także zaczyna się na „A". I od tego dnia pracował od samego świtu aż do ciemnej nocy, to był najlepszy sposób, żeby nie musieć nikogo oglądać, a przede wszystkim nie myśleć, jaki też głupi wyszedł mi ten syn, i Juan Quintana zrozumiał teraz, jak człowiek, który pracuje w tak słodkim zawodzie, może mieć tak gorzkie usposobienie, biedny Alberto i jego żona, ta biedaczka Remedios. Amadeusz Głuptak skończył właśnie trzy lata i nie mówił jeszcze ani słowa; jako niemowlę nigdy nie potrafił znaleźć sutka w matczynej piersi, kiedy ssał, ale jeść to jadł dobrze i nie mogli mu dać żadnych zabawek, bo wszystko pakował do buzi, myśląc, że to do jedzenia, cóż za nieszczęście takie dziecko, a Juan Quintana naprawdę już nie mógł wytrzymać, i dlaczegóż ten lekarz nic nie mówi.

Jeżeli, jak to mówią, na wszystko, co dobre, trzeba poczekać, dar, jaki przyniesie im mające przyjść na świat dziecię, będzie wspaniały, gdyż poród w żaden sposób nie mógł dobiec końca. Lekarzowi wyciąganie dziecka zabrało mnóstwo czasu, zdawało się, że ono w ogóle nie ma końca, przede wszystkim nóżki; nawet pępowina była tak długa, że można by nią związać wszystkich niepożądanych świadków, w ich liczbie tę upierdliwą Margaritę Cifuentes, i o ile to możliwe, zakneblować jej usta. Z pokoju rodzącej lekarz słyszał ją i wszystkich pozostałych, którzy chcieli się dowiedzieć, jak dziewczynka wygląda, i prosili go, żeby się pospieszył, bo Tęcza przecież nie będzie trwała wiecznie; poprosili też księdza, jako że miał bezpośredni kontakt z Bogiem, niech Go ubłaga, żeby to dziecko urodziło się wreszcie, do kurwy nędzy, a ksiądz się zgodził, pod warunkiem że będą przez rok bez szemrania chodzić do kościoła. Wszystko, żeby tylko Tęcza sobie nie poszła. I widząc, że poród jest taki długi, popadli w zwątpienie: co będzie, jeżeli Tęcza zniknie, a tu dziecko dopiero na poły urodzone? Zamyślili się głęboko, aż w końcu ktoś powiedział, że w takim razie otrzymają pół daru. Na przykład, jeżeli Tęcza postanowiła obdarować ich złotem, zamiast złota będzie srebro; jeżeli miała im przynieść dar, dzięki któremu nie będą musieli pracować – będą musieli pracować pół dnia, Pedro Ślepiec będzie widział na jedno oko, a kobiety odmłodnieją tylko o rok lub dwa. Młodzieniec, który marzył o przemierzaniu mórz, widział, jak jego statek zatrzymuje się i tonie pośrodku oceanu. Łysemu porośnie włosami tylko pół głowy, a to jeszcze gorzej. Najbardziej zatroskana wydawała się stara panna: jakże to będzie, jeśli urośnie jej tylko jedna pierś, a druga zostanie płaska, jak dotychczas – będzie wyglądała jak potwór. I tak wszyscy razem postanowili, że najlepiej byłoby, żeby Berta urodziła się jak najszybciej i raz jeszcze poprosili lekarza, żeby się pospieszył, i wszyscy uklękli na ulicy, aby się modlić wraz z księdzem. Lekarz, któremu początkowo schlebiało, że ma tak liczną publiczność, zaczął się denerwować i poprosił, stanąwszy w oknie, żeby modlili się cicho, w końcu Bóg nie jest głuchy, przedtem jednak poprawił sobie włosy, żeby przyzwoicie wyglądać. Juan Quintana także musiał wyjść dwa razy na ulicę i poprosić sąsiadów, żeby zamilkli i dali pracować lekarzowi; swemu przyjacielowi Józefowi Cieśli wręczył klucz od karczmy, żeby ich wpuścił i w jego imieniu udostępnił im napoje, tak, ale zapłacić za nie muszą, przecież ma teraz jedną gębę więcej do wykarmienia, nie czas na prezenty ani inne głupoty.

Kiedy lekarz mógł wreszcie obejrzeć dziecko w całej okazałości, głos mu odjęło, gdyż nigdy dotąd nie widział oseska podobnej wielkości. Potrzebował piętnastu gałganków, by wytrzeć dziewczynkę, i trzech, aby otrzeć sobie pot z czoła, po czym zawinął ją w ręcznik, który okazał się za mały, nie było jak okryć dziecku nóżek. Potem pokazał ją matce, Robercie Anai, która była kompletnie wyczerpana i tylko powtarzała: Tęcza, Tęcza, a lekarz, który nie słyszał nigdy o legendzie, pomyślał: patrzcie, co za cudaczne imię dla dziewczynki.

Juan Quintana widząc, że doktor nie mówi ani słowa, zaniepokoił się, że córka wyszła mu wadliwa. Dopiero gdy lekarz napił się whisky i odzyskał głos, Juan Quintana dowiedział się, że dziewczynka, choć bardzo długa, jest normalna, i wtedy on także musiał się napić, żeby odzyskać siły po wielkim strachu, jaki dopiero co przeżył. A za poród lekarz chciał policzyć sobie podwójnie; jako że noworodek był tak długi, pracował więcej niż zwykle. Juan Quintana obraził się i nie dość że zapłacił mu dokładniuśko według normalnej taryfy, to jeszcze odliczył mu whisky, naciągaczowi jednemu.

Gdy tylko lekarz wyszedł na ulicę, otoczyli go mieszkańcy Navidad; wszyscy chcieli wiedzieć, co było niezwykłego w dziewczynce, a kiedy się okazało, że długość, byli wielce rozczarowani. Tyle czasu czekać i po co, żeby wyszła dziewczynka długa jak kiełbasa. Juanowi Quintanie nie w smak było oglądać skwaszone miny wszystkich sąsiadów i aby bronić godności swej córki, wyjaśnił tę jej długość, budując własną teorię. Stwierdził z wielką pewnością siebie, że stało się tak, ponieważ któregoś razu, podczas ciąży, Roberta Anaya dodała za dużo drożdży do chleba, który piekła nocami, i to sprawiło, że dziecko urosło ponad miarę w brzuchu matki. Powiedział także, że być może dar jego córki objawi się z czasem, lecz nikt go nie słuchał.

Wszyscy wrócili do domów z nosami na kwintę, oprócz księdza, który wymógł na nich obietnicę, że przez cały rok będą chodzili bez szemrania do kościoła. Juan Quintana musiał pocieszać żonę, gdyż Roberta Anaya także czuła się rozczarowana z powodu długości swej córki, a ponadto zrobiła już na drutach i wyhaftowała mnóstwo sweterków, kaftaników i wełnianych butków, i wszystko na pewno okaże się za małe.

Juan Quintana wziął córkę w ramiona i uśmiechnął się radośnie. Czuł się najszczęśliwszym ojcem pod słońcem. Spojrzał przez okno na Tęczę i podziękował jej, że obdarowała go zdrową córką. To było najważniejsze. Ale na wszelki wypadek złapał paluszek małej i postukał nim w okienną ramę, żeby sprawdzić, czy przemieni się w złoto. Żeby sprawdzić, czy Tęcza zniknie.

I Tęcza znikła.

Legenda o Tęczy liczyła sobie już trzysta z górą lat; narodziła się, kiedy pierwsi osadnicy przybyli tam, gdzie potem powstała wioska Navidad. Długo szukali miejsca, w którym mogliby się osiedlić, i czuli się naprawdę wyczerpani, albowiem oprócz tego, iż dźwigali cały swój dobytek, musieli ścierpieć deszcz, który niezmordowanie padał od wielu tygodni. W chwili gdy nareszcie przestało padać, pojawiła się Tęcza. To właśnie wtedy ktoś powiedział, że to widomy znak niebios, które wskazują miejsce dla nich wybrane. I Tęcza poczekała, aż znaleźli się pod jej łukiem, i znikła. I, jako że się to wydarzyło dokładnie 24 grudnia, nazwali owo miejsce Navidad, co się tłumaczy jako Boże Narodzenie, i postanowili uczcić narodziny Pana i zarazem wioski, budując szopkę. Z błota, którego mnóstwo było wszędzie po tak obfitych deszczach, uformowali najpierw świętego Józefa, potem Najświętszą Panienkę, przy czym okazało się, że kiepscy z nich artyści: figury były tak źle zrobione, że niejeden, patrząc na nie, o mały włos nie stracił wiary. Rzeczywiście trzeba było niemałej wyobraźni, aby rozpoznać święte postacie; wyglądały jak dwa strachy na wróble – dziwolągi o wielkich głowach, do tego jeszcze garbate, postanowili zatem, przez poszanowanie, iż nie będą lepić Dzieciątka Jezus, które wszak jest Synem samiutkiego Boga. Jakże wielkie było jednak ich zdumienie, kiedy nazajutrz w szopce pojawiło się Dzieciątko ulepione z błota. Było tak cudne, iż oczywistym się zdawało, że nie było dziełem człowieczej ręki, a przynajmniej nikogo spośród nich, a nikogo innego przecież nie było w promieniu wielu kilometrów. A kiedy pytali jedni drugich, skąd mogło się wziąć, znów pojawiła się Tęcza, bez żadnej przyczyny, niebo było bowiem całkiem bezchmurne.

Od tej chwili myśleli, że wszystkie dzieci, które jak Dzieciątko z błota przyjdą na świat pod Tęczą, będą miały jakiś szczególny dar. Sądzili również, iż za sprawą magii Tęczy Navidad stanie się bardzo ważną osadą. Byli jednak w błędzie: trzy wieki później Navidad właściwie nie była wioską, lecz ulicą, przy której stały drewniane domy, rozpadające się i zgrzybiałe, upstrzone tyloma warstwami farby, że nie na wiele im się zdała, podobnie jak niewiele pomaga staruszkom, pragnącym wyglądać o dwadzieścia lat młodziej, nałożenie grubej warstwy makijażu. Wioska figurowała jedynie na lokalnych mapach, o ile w ogóle gdzieś udało się ją znaleźć, a nazwa zawsze wypisana była drobnymi literkami, zupełnie jakby ktoś chciał ich upokorzyć.

Navidad stała się miejscem poza czasem, zagubionym w świecie, miejscem bez pośpiechu i ambicji. Jej największym bogactwem było ubóstwo, i choć krajobraz był piękny, nie wyróżniała się z tego powodu, gdyż podobnie wyglądała cała prowincja. Historia osady była tak ubożuchna, że mieszkańcom trudno byłoby zgoła czymkolwiek się chlubić. Nie miała wszak żadnego sławnego syna, czy choćby płodów ziemi godnych wzmianki ani własnego rzemiosła. Nie przeżyła nawet hańby wojny; żadna się nad nią nie przetoczyła. Nie była też przejezdna, szosa bowiem kończyła się właśnie tutaj i, jak ktoś powiedział, dotrzeć tam to jak na koniec świata. Navidad nie zasługiwała nawet na swoją nazwę: nigdy nie spadł tu śnieg i dlatego czasami bywała tematem żartów, w szczególności ze strony mieszkańców sąsiedniej wioski – Ponsy. Naturalnie miała własną legendę, ale teraz, gdy wreszcie pod Tęczą przyszło na świat dziecię, okazało się, że jedyny dar, który posiada, to długość. Lepiej już zatem było zamilknąć, niż łazić po okolicy i rozgłaszać to wszem i wobec.

Nawet zegar kościelny się zatrzymał. Pokazywał siódmą dziesięć od trzydziestu lat z winy dwóch ciekawskich chłopaczków, którzy wleźli dla zabawy na dzwonnicę; chcieli zobaczyć, co zegar ma w środku, i zepsuli jedno z kół zębatych, które sprawiało, że chodził. I przez to że wpakowali łapy, gdzie nie trzeba, jeden z nich o mało nie stracił lewej ręki, a nawet i prawej, tej ostatniej za sprawą ojca, człowieka niezwykle surowego, który, pragnąc dać synowi nauczkę, z taką wściekłością sprał go po łapach, że okaleczył mu prawą na zawsze. Tak właśnie czas i chłopczyk zostali kalekami. Z zepsutego zegara najbardziej ucieszyli się ci, którzy z przymusu chodzili do kościoła; spóźniali się, mając wymówkę, że przecież nie wiedzą, która godzina.

Mogło się wydawać, że czas zatrzymał się w Navidad, podobnie jak kościelny zegar. Przyczyniały się do tego góry, które swymi niezmierzonymi skalnymi ścianami oddzielały wioskę od reszty świata, podobne rodzicom, którzy chronią swe dzieci i w obawie, że je utracą, nie chcą, by rosły. Kiedy, choć zdarzało się to bardzo rzadko, nawidyjczycy wyruszali do stolicy, fascynował ich ogrom domów, samochody, tętniące życiem ulice, nie mogli jednak przywyknąć do owego pośpiechu, udręki ruchu ulicznego, do tych mas ludzi, ich anonimowości, klaksonów, spalin i fabrycznych dymów, i czuli się zagubieni, niczym dzieci, kiedy stracą z oczu swych rodziców i nie wiedzą, co począć.

Rodzina Berty Quintany była jedną z najstarszych w Navidad; mieszkała tu od ponad dziesięciu pokoleń. Jej przodkowie od zamierzchłych czasów zajmowali się rolnictwem i byliby się nadal nim zajmowali, gdyby nie wypadek pradziadka Berty, mężczyzny obdarzonego wielkim temperamentem, który zawsze gdy wpadał w gniew, kopał drzwi swego pokoju z taką furią, że nieraz już je rozwalił, a cały dom trząsł się w posadach. A oto co się wydarzyło w roku, kiedy pradziadek utracił wszystkie swe plony za sprawą plagi owadów, dokładnie w przeddzień żniw: roztrzaskał drzwi kopniakiem, lecz tak nieszczęśliwie, że drzazga wbiła mu się w stopę, stopa się zainfekowała i, aby ją uratować, trzeba było uciąć całą nogę, gdyż gangrena wdała się tak szybko, że prababka nie zdążyła nawet odmówić różańca.

Tak więc noga, a ściślej mówiąc brak nogi pradziadka odmienił los rodziny Quintana. Pomimo że pradziadek stracił nogę, nie stracił poczucia odpowiedzialności za wyżywienie całej rodziny – trojga dzieci i jeszcze jednego w drodze; wpadł zatem na pomysł, że otworzy karczmę. Łatwo przyszło mu to do głowy, bo tak strasznie lubił pić; zawsze wspominał karczmę w stolicy U Don Kichota; zawsze zaglądał do niej, gdy udawał się do miasta, aby sprzedać swe plony. Jeżeli sprzedaż poszła dobrze, wypijał trzy wódki – coś takiego zdarzyło się tylko raz, gdyż prawie nigdy zbiory nie były szczególnie obfite – postanowił zatem, że będzie wypijał trzy wódki także wtedy, gdy sprzedaż będzie zła, bo trzeba przecież utopić smutki.

W taki oto sposób pradziadek Quintana, po niefortunnym wypadku, zainwestował swe niewielkie oszczędności w kupno drewnianej nogi i budowę pierwszej karczmy w Navidad, a pięterko przeznaczył na mieszkanie dla rodziny, jako że aby móc otworzyć karczmę i kupić sobie protezę, musiał sprzedać dwa hektary ziemi i gospodarstwo. I od tej chwili, kiedy wpadał w gniew, już nie kopał, nie chciał bowiem stracić drugiej nogi, a dla uspokojenia wypijał kielicha i zaraz szukał powodu, żeby wypić więcej: jeżeli gniew jego był bardzo wielki, wypijał trzy kolejki, a jeżeli nie – tak samo, w końcu po coś był właścicielem karczmy.

Karczmę nazwano Pod Piratem; tak zdecydował pradziadek, kiedy wszedł w posiadanie drewnianej nogi, chociaż bowiem stracił własną, nie stracił poczucia humoru; poprosił więc swą żonę, prababkę Berty, żeby po śmierci nie pogrzebali go z protezą, lecz by ją postawili w karczmie gwoli reklamy, tuż obok drzwi, nad którymi znajdował się niewielki szyld z nazwą lokalu. I tak uczyniono, kiedy pewnego pięknego dnia pradziadek wyciągnął jedyną nogę, jaka mu pozostała, a serce jego przestało bić. Wiadomość o jego śmierci wywołała wielkie zdumienie, gdyż ludzie nie mogli uwierzyć, jak człowiek, którego życie było tak burzliwe, mógł mieć tak spokojną śmierć. Tego dnia to prababka Quintana wypiła trzy wódki, a potem odmówiła różaniec za duszę męża. Została wdową, biedaczka, będąc jeszcze niestara, i mogła ponownie wyjść za mąż, gdyż poza wszystkim była bardzo ładna, lecz któż by tam myślał o innym mężczyźnie, mając przed oczyma drewnianą nogę pradziadka!

Minęło już ponad osiem dziesiątków lat od śmierci pradziadka, a przecież wydawać by się mogło, że zdarzyło się to wczoraj; obecnie ojciec Berty, Juan Quintana, panował miłościwie w karczmie Pod Piratem, był bowiem jedynym z potomków, który pozostał w Navidad. Inni wyruszyli do stolicy, pragnąc rozpocząć nowe życie, i słuch po nich zaginął. Karczma była właściwie taka, jaką pozostawił pradziadek, wyjąwszy lodówkę i kuchenkę; oprócz alkoholi i napojów chłodzących podawano gorące dania, przychodziły tu przesyłki pocztowe z całego świata, a drewniana noga pradziadka nadal jakimś cudem stała obok drzwi, choć dwa razy niewiele brakowało, a byłaby znikła. Pierwszy raz z powodu plagi korników, jaka nawiedziła wioskę, a drugi – kiedy kaleka bez lewej nogi chciał ukraść protezę pradziadka, i na szczęście Juan Quintana go zobaczył, a jednonogi zaczął go błagać, żeby mu ją dał, bo nie ma pieniędzy, by sobie taką kupić. Już go prawie przekonał, bo miał niezłe gadane, ale mówiąc, rozdziawiał strasznie gębę, i Juan Quintana zorientował się, że ma dwa złote zęby, majątek. Wyrwał mu protezę i wściekły trzasnął go nią w łeb w imieniu pradziadka, i zaraz przykopał mu zdrowo w zadek, i tak wyrzucił go z karczmy na kopach, właśnie tak.

Rodzice Berty pobrali się bardzo młodo. Rodzina Roberty Anai mieszkała wówczas w chacie na skraju wioski: pięcioro rodzeństwa, dwadzieścia kur, trzy świnie i dwie krowy, a Roberta każdego ranka nosiła do wioski świeże mleko. Juan Quintana zwrócił na nią uwagę, kiedy stała się kobietą i urosły jej ogromne piersi, prawie z dnia na dzień; były tak wielkie, że wydały mu się dwiema górami. I Juan Quintana zakochał się w jej piersiach, choć powiedział dziewczynie, że się zakochał w jej oczach; myślał sobie wtedy, że będzie wspaniałą matką dla wielu dzieci, które chciał mieć, gdyż taką parą cycków może wykarmić całą armię.

Kiedy się zaręczyli, zgodnie z panującą w wiosce tradycją udali się pod drzewo zakochanych rosnące nieopodal i wyrżnęli swe imiona w korze. Mieli się pobrać bardzo szybko, gdyż Juan Quintana pragnął czym prędzej wypróbować cycki Roberty, ona zaś jako przyzwoita dziewczyna powiedziała mu, że pozwoli dopiero po ślubie. Nazajutrz Juan Quintana poszedł rozmówić się z rodzicami Roberty Anai, i zanim wszedł do domu, ujrzał przyszłą żonę, dojącą krowę. Juan Quintana oblizał się, widząc, że wymiona krowy są tak wielkie jak cycki jego narzeczonej, a kiedy potem zobaczył jej matkę, pomyślał, że Roberta bardziej jest podobna do krowy niż do własnej matki, co nie było bynajmniej zniewagą, wręcz przeciwnie, zważywszy że matka była ucieleśnieniem brzydoty i nawet nie miała takich piersi jak Roberta.

Tydzień później wzięli ślub w kościele w Navidad; wszystko odbyło się tak pospiesznie, że niejeden pomyślał o ciąży. Po ceremonii Juan Quintana skosztował piersi Roberty i zasmakowała mu bardziej lewa, gdyż, choć mniejsza, była o wiele słodsza; od tej chwili zamiast deseru ssał lewą pierś żony i czynił to z takim zapamiętaniem, że Roberta czuła okrutny ból w łonie; musiał jednak minąć cały rok, zanim ośmieliła się powiedzieć mężowi, że ją boli, a wtedy zdecydowali, że będzie ssał lewą pierś jedynie w niedziele i święta obowiązkowe. W pozostałe dni tygodnia małżonek musiał się zadowolić prawą piersią, która jako większa była mniej wrażliwa. I Roberta okazała się doskonałą żoną dla Juana Quintany – łagodną, pracowitą, zgodną, nigdy nie podnosiła głosu, a ponadto piekła najlepszy chleb w Navidad. Roberta Anaya wielce rozczarowała Juana Quintanę tym jedynie, że dała mu tylko jedną córkę, Bertę. A on, który zawsze chciał mieć dużo dzieci, nie rozumiał, po co Pan Bóg dał Robercie Anai tak wielkie piersi. Myślał też, że jeżeli Tęcza naprawdę ma jakąś szczególną magiczną moc, mogła go przecież obdarzyć pięcioraczkami.

* *Rzecz najbardziej przypominająca lewy cycek Roberty Anai*

W wieku siedmiu lat Berta była już wzrostu swej matki, a ukończywszy dziewięć – ojca; niejeden raz Juan Quintana musiał wysłuchać jakiegoś niefortunnego komentarza na temat wzrostu swej córki. I on, który tak rzadko wpadał w gniew, bywał wówczas niezwykle stanowczy: jeżeli raz jeszcze powiecie coś o mojej córce, możecie iść w cholerę z mojej karczmy. Gdyż, jakkolwiek Juanowi Quintanie strasznie zależało na klienteli, córka była jeszcze ważniejsza, w końcu to moja jedynaczka.

Wtedy właśnie dzieci zaczęły ją nazywać Długą Bertą, nabijały się z niej, nie chciały jej jako towarzyszki zabaw, bo tak wysoka dziewczynka była też niezgrabą, denerwowała się bardzo, a wtedy było jeszcze gorzej. Mówiły jej, że skoro jest taka długa, pewnego pięknego dnia porwie ją wiatr, jak liście z drzew, i Berta była przerażona, i czuła się potworem, nikt mnie nie kocha, i dziewczynka z wierzchu taka duża, w środku czuła się maleńka; całe szczęście, że Juan Quintana zawsze był przy niej, aby ją pocieszyć, gładził jej długie włosy, a kiedy szła spać, mówił jej dobranoc, otulał kołdrą, żeby nie zmarzła, dawał ciepłego całusa w czoło, a Berta mówiła do niego: jesteś najlepszym tatusiem na świecie. Pomimo to później, gdy zasypiała, często miewała taki sen: idzie ulicą i nagle gwałtowny prąd powietrza uderza ją, aż upada na ziemię, i Berta czepia się drzewa, i wiatr się z niej śmieje, i wyrywa drzewo, i ją porywa.

Przez całe dzieciństwo Berta Quintana przyjaźniła się tylko z jedną dziewczynką; miała na imię Gracja, jej ojcem był Józef Cieśla, syn Józefa Cieśli i wnuk Józefa Cieśli, tego, który zrobił drewnianą nogę pradziadka, i tak po kolei, a najstarszy syn Józefa Cieśli też któregoś dnia otrzyma imię Józefa Cieśli. Było tyle pokoleń Józefów Cieśli, że twierdzili, iż należą do rodziny pierwszego Józefa Cieśli, ojca Pana Naszego Jezusa Chrystusa. A ten, który uważał się za artystę, gdyby był obecny w Navidad, kiedy pierwsi mieszkańcy ulepili figurę jego przodka, bez wątpienia dostałby zawału.

Wszyscy Józefowie Cieśle mieli sporo szczęścia w życiu, przypisywali to temu, iż całe dnie spędzali na dotykaniu drewna, które przynosi szczęście, lecz Józef Cieśla nie mógł pojąć, dlaczego jego córka, którą nazwali Gracją, bo przyszła na świat uśmiechnięta, a nie wrzeszcząca jak inne dzieci, od samego urodzenia była dziewczynką słabą, chorowitą, nie mogła biegać ani się bawić; biedactwo czasami nie miało nawet siły mówić, zawsze zmęczona wiele czasu spędzała w łóżku, choć nigdy uśmiech nie znikał z jej buzi. Długa Berta była jedyną osobą w jej wieku, która przychodziła ją odwiedzić, a Gracja zdawała sobie sprawę ze smutku przyjaciółki i musiała ją pocieszać, choć normalnie powinno być na odwrót: masz wielkie szczęście, jesteś zdrowa, i Berta bardzo dobrze się przy niej czuła. A Józef Cieśla nie rozumiał, dlaczego jego córka musiała tak bardzo cierpieć, błogosławiona dziewuszka; on, który spędzał życie, dotykając drewna i chodząc do kościoła, by prosić o zmiłowanie, to przecież tylko dziecko, a do tego święta, prosił także o miłosierdzie świętego Józefa Cieślę, którego uważał za członka rodziny, Ty też byłeś ojcem, spraw przynajmniej, żeby dożyła trzydziestu trzech lat, jak Syn Twój, Jezus Chrystus.

Jednakże Bóg i święty Józef musieli być kompletnie głusi, bo biedna Gracja umarła, mając zaledwie trzynaście lat. Zasnęła cichutko w łóżku, nie sprawiając nikomu kłopotu, i nawet śmierć nie zdołała unicestwić jej uśmiechu, Błogosławiona Gracja. Józef Cieśla chciał zrobić dla niej najpiękniejszą trumnę na świecie i wziął dębowe drewno, istny cud, i mówił: widzieliście, jaką piękną trumnę zrobiłem dla mojej córeczki.

Berta przeżyła śmierć Gracji prawie tak samo boleśnie jak Józef Cieśla. Czuła się bezgranicznie smutna; straciła jedyną przyjaciółkę i płakała, podobnie jak niebo, które natychmiast pokryło się chmurami. Ktoś powiedział, że nawet niebo było smutne i dlatego właśnie padało. Jedynie Juan Quintana zdołał pocieszyć nieco swą córkę, mówiąc jej, że śmierć jest piękna, bo po śmierci idziemy do nieba: kiedyś będziesz mogła zobaczyć znowu Grację i wszystkich, których straciliśmy. Berta uśmiechnęła się na myśl, że będzie mogła poznać również swego pradziadka, o którym tyle słyszała, a Juan Quintana powiedział jej, że kiedy umrze, chciałby zostać pochowany z drewnianą nogą, żeby oddać ją pradziadkowi – ale przecież w niebie nie będzie mu potrzebna – powiedziała Berta, a ojciec wytłumaczył jej, że to nigdy nie wiadomo; a nuż będzie mu potrzebna. Począwszy od tego dnia, zawsze gdy Berta czuła się bardzo nieszczęśliwa, wspominała Grację, pragnęła być tam gdzie ona, bo przecież z pewnością nie będzie tam ani długich, ani krótkich.

Dzień, kiedy ojciec zabrał ją do wędrownego cyrku, w którym występowali ludzie, odcisnął na jej życiu niezatarte piętno; głębokie wrażenie wywarła na niej parada potworów: brodata kobieta, najsilniejszy człowiek na świecie, zdolny unieść ponad dwieście kilogramów; kobieta bez kości, owijająca swe ciało nogami i rękami; były również siostry syjamskie, mające wspólny tułów, lecz własne ręce i nogi, i, naturalnie, głowę. Obie miały mężów i jeden z nich opowiadał o ich niezwykłym życiu, i wszyscy strasznie się gorszyli, kiedy powiedzieli, że śpią razem, we czworo. Największe jednak wrażenie wywarł na Bercie karzełek imieniem Gustavo, który chwalił się, że jest najmniejszym człowiekiem na świecie. Choć nie miał nawet metra wzrostu, był najnormalniejszy z nich wszystkich, i kiedy dziewczyna zbliżyła się do niego, popatrzył na nią, zadzierając głowę jak ktoś, kto patrzy na dach domu, ona zaś spojrzała w dół jak ktoś, kto zagląda do studni. Karzełek musiał zorientować się, że Berta jest smutna: co z tobą, nie lubię być taka długa, ja tak samo nie lubię być taki krótki, ale my też możemy być szczęśliwi – i karzełek znikł, poczekaj chwileczkę, i wrócił z kobietą swego wzrostu, tak maleńką, że zdawała się być laleczką, i powiedział Bercie, że to jego żona. Długa Berta nigdy nie miała zapomnieć tego błękitnego spojrzenia karzełka Gustava i pomyślała, że pewnego dnia ona także będzie szczęśliwa. Pewnego dnia.

Szczęście jednak nie nadchodziło; na ścianie pokoju Berta Quintana zaznaczała swój wzrost, co wieczór sprawdzała, czy urosła, i jeśli tak było, czuła się nieszczęśliwa i znów zaczynała płakać, a robiło jej się jeszcze smutniej, gdy widziała, jak deszcz pada, nieuchronny jak jej łzy, a ojciec ją pocieszał, głaszcząc jej długie włosy, ależ na pewno już nie rośniesz, lecz Berta nadal rosła, aż stała się najdłuższą istotą w Navidad. Urosła też ponad wszelką miarę miłość, jaką Juan Quintana czuł do swej córki; żeby ją pocieszyć, mówił do niej: nawet nie wiesz, jakie masz szczęście, że jesteś taka długa, pojęcia nie masz, jesteś bliżej nieba niż my wszyscy, i Berta uśmiechała się do niego z ulgą, to prawda, a Juan Quintana zabierał córkę na sam szczyt góry i mówił jej: nikt nie jest tak blisko nieba jak ty; jesteś najlepszym tatusiem na świecie.

A kiedy wkroczyła w wiek dojrzewania, trądzik zaatakował z całym okrucieństwem jej delikatną cerę, a chłopcy nawet podejść do niej nie chcieli, w obawie że będą przy niej całkiem maleńcy i wszyscy się z nich będą nabijać; nikogo nie obchodziło, jaka jest Berta w środku, och, jakież niesprawiedliwe jest życie. Oprócz problemów z mężczyznami Długa Berta miała też kłopoty z ubraniami, które jej matka zmuszona była szyć na miarę, gdyż największe rozmiary i tak były na nią za małe i wciąż trzeba było odpruwać obrąbki u sukienek. Trzeba jej było kupować męskie buty, jeżeli w ogóle jakieś na nią pasowały, a Juan Quintana musiał zamówić u Józefa Cieśli łóżko specjalnie dla Berty, bo z tego, w którym spała, nogi jej wystawały.

To przez ten wzrost Berta stała się dziewczyną małomówną i nieśmiałą; spuszczała oczy, kiedy ktoś się do niej odezwał, chodziła zgarbiona, żeby się tak bardzo nie wyróżniać, wzrok miała zawsze wbity w ziemię, co sprawiło, że doskonale poznała rysunek bruku głównej ulicy. Stąd we wszystkich wyścigach, urządzanych podczas świąt w wiosce, w których uczestnicy biegli z zawiązanymi oczami, zawsze zwyciężała, gdyż znała kostkę bruku lepiej od innych, a poza tym jej susy były najdłuższe, a tylko kiedy matka wysyłała ją do sklepiku po zakupy, cieszyła się, że jest taka, jaka jest. Właścicielką sklepu była Dolores; prosiła zawsze Bertę, żeby jej pomogła zdjąć z najwyższych półek puszki i słoiki, bo miała tylko metr czterdzieści wzrostu; w sklepie panowała taka ciasnota, że nie było innego wyjścia, jak spiętrzyć wszystko pod sam sufit, a Dolores sięgała tylko do dwóch najniższych półek. Berta za swą pomoc dostawała cukierki; zawsze prosiła o miętowe, takie najbardziej lubiła. Często chodziła je zjeść do Niebiańskiego

Zakątka, miejsca, które odkryła w lesie. Nazwała je tak, bo była to polanka, otwierająca się pośród gęstwiny drzew, niczym oaza pod otwartym nieboskłonem. Było to sekretne miejsce Długiej Berty; spędzała tam całe godziny, patrząc w niebo, odkrywając urojone kształty chmur – ta przypomina twarz, tamta rybę, tamta znów jest jak króliczek – i chmurom powierzała swą samotność. Marzyła też, że pewnego dnia podzieli ją z mężczyzną swego życia. Pewnego dnia.

Tymczasem musiała się zadowolić synem Alberta Cukiernika, Amadeuszem Głuptakiem, który już ukończył dziewiętnaście lat. Jemu jednemu nie przeszkadzało, że Berta jest taka długa, lecz żadna dziewczyna, choćby nie wiem jak zdesperowana, nie mogła pragnąć dla siebie takiego mężczyzny jak Amadeusz. On zaś, w swej bezbrzeżnej naiwności, oświadczył się wszystkim dziewczętom w Navidad, i to nie raz jeden, tylko wielokrotnie, bo straszny był z niego zapominalski i nigdy nie pamiętał, której się oświadczył, a której nie, i mówił im ko ko kocham ć ć ć cię, i zaraz strasznie się denerwował, i nic nie można było zrozumieć z tego, co mówił, i jeżeli nie śmiały się z niego, to tylko dlatego, że bały się go ze względu na jego wielką siłę, więc zawsze go unikały. Długa Berta traktowała go najlepiej, może dlatego że był takim odmieńcem jak ona, i obydwoje czuli się złączeni przez to, jak bardzo samotne było ich życie. Miała dla niego mnóstwo cierpliwości i uczyła go czytać i pisać, co nie udało się nikomu w szkole, ale dzięki Długiej Bercie wreszcie nauczył się pisać swe imię i liczebniki od jednego do dziesięciu, choć czasami z dnia na dzień wylatywały mu z głowy i tak w koło Macieju. Rodzice Amadeusza Głuptaka czuli wielką wdzięczność dla Berty i w zamian za lekcje dawali jej ciastka, w końcu byli właścicielami cukierni. Później Berta dawała ciasteczka Amadeuszowi Głuptakowi, który zawsze głodny jak wilk zjadał je z takim apetytem, aż miło było popatrzeć.

I pomiędzy jedną literą a drugą popatrywał na nią, rozkochany, aż wreszcie któregoś dnia poprosił, żeby mu wytłumaczyła, jak się pisze kocham cię, a ona mu pokazała. Amadeusz Głuptak, który nie był z kamienia, powiedział jej ko ko ko kocham ć ć ć cię, a ona poczuła się bardzo wzruszona, słysząc jego słowa, ale przecież go nie kochała; wzięła go za rękę i powiedziała, że kocha go jak brata, a on poczuł się bardzo szczęśliwy, bo to była pierwsza kobieta, która go nie wyśmiała, a ponadto nie miał wcale rodzeństwa, a teraz zyskał siostrę. Chciał pocałować Bertę, ale ona powiedziała mu, że to niemożliwe, dla dla dlaczego, bo jesteśmy jak brat i siostra, a rodzeństwo się nie całuje. I Amadeusz Głuptak, któremu dużo czasu zabierało zrozumienie różnych spraw, pomyślał w końcu, że Berta miała rację; jeżeli są bratem i siostrą, nie mogą być narzeczonymi. Szkoda.

Tymczasem Długa Berta chodziła pod drzewo zakochanych i patrzyła, jak wszystkie dziewczyny piszą swe imiona, a ona nic. Amadeusz Głuptak któregoś dnia poszedł za nią aż do samego drzewa i powiedział jej, że chce napisać jej imię obok swojego, po po pozwól mi t t to na na napisać, i znów musiała mu przypomnieć, że jest dla niej jak brat, a zawsze gdy mu to mówiła, biedny Amadeusz Głuptak upadał na duchu i znowu zaczynał się oświadczać innym pannom, mając nadzieję, że nie są z nim w żaden sposób spokrewnione; teraz, kiedy już prawie umiał pisać, bawił się, wypisując swe imię na drzewie obok imion wszystkich dziewcząt z wioski.

Raz jeden tylko zdawać się mogło, że inny młodzieniec, nie Amadeusz Głuptak, zainteresował się Bertą: zabrał ją na spacer i powiedział, że ją kocha, i Berta czuła się szczęśliwa, póki nie usłyszała śmiechu kolegów chłopaka i nie odkryła, że to tylko żart. Chciała umrzeć, pobiegła do lasu, płakała aż do zmroku, a w tym czasie jej rodzicom zdążyły już przyjść do głowy najgorsze przypuszczenia, a może umarła, i cała wioska wyruszyła na poszukiwanie. Szczęściem Amadeusz Głuptak szukał jej jak szalony, nie zważając na deszcz, który zaczął padać, utrudniając akcję. W końcu znalazł dziewczynkę; skulona i drżąca, kryła się między drzewami. Wziął ją w ramiona i zaniósł do wioski, i Juan Quintana poczuł tak wielką wdzięczność, że postanowił przez cały miesiąc fundować mu tyle piwa, ile tylko zapragnie.

Juan Quintana przeklinał wszystkich chłopców w Navidad, choć w głębi duszy wdzięczny był naturze za to, że młodzieńcy nie chcieli jego córki; wiedział, że to egoistyczne myślenie, lecz było silniejsze od niego, i choć nie mógł znieść myśli, iż dziewczynka cierpi przez to, że jest taka, jaka jest, jeszcze straszniejsza była dla niego myśl, że jego córka mogłaby być z jakimś obcym mężczyzną. Kochał ją niczym życie własne, może dlatego że jako jedynaczkę obdarzył ją całą czułością, jaką musiałby rozdzielić, gdyby miał więcej dzieci; czuł zazdrość na samą myśl o tym, że w życiu córki mógłby pojawić się jakiś mężczyzna. I mówił do Roberty: jeżeli mała nie znajdzie męża, mam to w nosie, jest jej lepiej z nami niż z jakimś facetem, który z pewnością ją unieszczęśliwi, a Roberta Anaya wściekała się na niego, ależ z ciebie egoista, Juanie Quintana, powinieneś pomyśleć o szczęściu córki, szczęście to bzdura, nie istnieje, przyszliśmy na ten świat, żeby cierpieć, co chcesz, żeby mała była starą panną, lepiej starą panną niż nieszczęśliwą. Jawiła mu się tak krucha, tak płochliwa, że pragnął chronić ją coraz bardziej; nie pozwoli, żeby ktokolwiek ją ukrzywdził, a niechby tylko spróbowali, po moim trupie, i od tej chwili pozwalał zbliżać się do niej jedynie Amadeuszowi Głuptakowi, przecież Amadeusz nie stanowił żadnego zagrożenia, a poza tym znalazł dziewczynkę w lesie.

Juan Quintana wiedział, że choć jego córka jest tak długa, pewnego dnia spotka jakiegoś mężczyznę i się zakocha, tyle lat wychowywania jej, i na co to komu. Każdego wieczoru pytał żonę, a nuż wie, czy mała chodzi z jakimś facetem, a Roberta

Anaya mówiła mu, że nie. I ponieważ Juan Quintana wiedział, że w dniu, kiedy Berta zacznie chodzić z facetem, nie powie mu o tym, raz w tygodniu udawał się po kryjomu pod drzewo zakochanych i szukał imienia swej córki na pniu, a kiedy przekonywał się, że go tam nie ma, oddychał z ulgą, całe szczęście. Ostatnio zobaczył imię Amadeusza Głuptaka wraz z wieloma imionami innych dziewcząt i myślał ubawiony: do cholery z tym Amadeuszem, jeszcze się w końcu okaże, że nie jest taki głupi, na jakiego wygląda. I w ten sposób dowiadywał się o wszystkich narzeczeństwach w wiosce, i opowiadał o nich Robercie, a ona nie rozumiała, skąd jest tak dobrze poinformowany. Juan Quintana, który nie chciał, by jego żona wiedziała, że chodzi pod drzewo zakochanych, mówił jej: w wiosce wszyscy wiedzą wszystko o wszystkich.

Od chwili gdy ukończywszy trzynaście lat, Długa Berta przestała się uczyć, każdego ranka pomagała w karczmie, gdzie zamiatała i ścierała kurz z butelek i mebli, popołudniami zaś uczęszczała na kurs szycia i gotowania, który prowadzono w kościele; przychodziły tam dziewczęta na wydaniu, trzeba je w końcu jakoś przygotować. Juan Quintana był przeciwny temu, aby jego córka przygotowywała się do czegokolwiek, a w szczególności do zamążpójścia, lecz Roberta Anaya, pragnąca dla niej wszystkiego, co najlepsze, odezwała się do niego, po raz pierwszy w życiu podnosząc głos, jeśli nasza dziewczynka nie będzie chodziła na kurs, zapomnij o ssaniu mojej lewej piersi, i była to jedna z tych niewielu okazji, kiedy przemówiła doń bardzo zagniewana. Juan Quintana przywołał na pomoc całą swą dumę i powiedział, że nikt mu tu nie będzie groził, a zwłaszcza kobieta, nigdy jednak nie widział Roberty Anai tak stanowczej, i on, który odmawiał podporządkowania się czyimkolwiek rozkazom, a tym bardziej własnej małżonki, przekonał w końcu samego siebie, że nie może trzymać córki całymi dniami pod kluczem, niech lepiej będzie z innymi dziewczętami, a poza tym jak pyszna jest lewa pierś. Na szczęście piersi córki nie dorównywały matczynym, bo inaczej dziewczynka miałaby z pewnością mnóstwo konkurentów.

Roberta Anaya także pomagała w karczmie i zajmowała się tam kuchnią, z której Juan Quintana prawie jej nie wypuszczał; wszak był zazdrosny nie tylko o córkę, a w końcu większość klientów w karczmie to mężczyźni. Rodzina Quintana nadal mieszkała nad karczmą, w domu, który zbudował pradziadek; a że mieli tylko jedną córkę i zbywała im jedna izba, Juan Quintana zrobił z niej sypialnię dla gości, tak że karczma stała się również zajazdem, pomimo protestów Roberty, rzadko bowiem ów pokój był naprawdę zajęty; mówiła to nie tylko dlatego, że w Navidad prawie nie było przyjezdnych, lecz również dlatego, iż jednym z jej marzeń był pokój dla niej samej, gdzie mogłaby szyć, gawędzić z kumami albo odpocząć nieco od Juana Quintany, który czasami stawał się naprawdę ciężki do zniesienia, przede wszystkim przez te pomysły, jak by tu przyciągnąć klientów do karczmy w dni robocze, i z tą lewą piersią w niedziele i święta. Na szczęście w piątki wieczorem Roberta Anaya miewała chwile wytchnienia, bo mężczyźni gromadzili się w karczmie, by rozmawiać o męskich sprawach, a kobietom nie wolno było tam wchodzić. One też spotykały się, by rozmawiać o babskich sprawach i krytykować mężczyzn, robiły to cichcem, kryjąc się przed Margaritą Cifuentes; ta, choć zostawała sama w domu, nieustannie rozmawiała ze ścianami, które prócz tego, że podpierały sufit, musiały również znosić Margaritę.

I od chwili gdy skończyła trzynaście lat, w piątkowe wieczory Berta zostawała sama w domu. Wychylała się przez okno i patrzyła na gwiazdy, i cóż mi z tego, że jestem bliżej nieba, skoro nikt mnie nie kocha. I czuła się przeogromnie nieszczęśliwa: traciła pomału nadzieję, że spotka mężczyznę, który ją pokocha.

Dzięki karczmie mieli co jeść, lecz niewiele ponad to, gdyż w wiosce otwarto nową karczmę, a w dodatku, jako że wielu spośród klientów było przyjaciółmi Juana Quintany, nie miał innego wyjścia jak im zaufać, co oznaczało mniej więcej to samo, co stawiać im wódeczkę, zaufanie aż do udręczenia, i nigdy nie zostawiali napiwków, a najcięższe konsekwencje poniosły Berta i jej matka, które musiały ścierpieć rozgoryczenie Juana Quintany, a on się skarżył, prawdę powiedziawszy nie bez racji, nie było bowiem dnia, żeby nie musiał komuś postawić.

Pedrowi Ślepcowi, na przykład, który żył z miłosierdzia innych, musiał co wieczór stawiać kieliszeczek, a tak naprawdę dwa, bo zawsze mu spadał na ziemię, nie tylko przez jego ślepotę, lecz że był niezgrabą do wszystkiego, prócz łapania bab za zadek, co czynił z nieprawdopodobną zręcznością, aż wszyscy zaczynali powątpiewać w tę jego ślepotę. Wątpliwości rozstrzygnęły się jednak pewnego dnia, kiedy Pedro Ślepiec pogłaskał chłopa po zadku, a ten się wściekł, i gdyby Pedro nie był naprawdę ślepy, jak się właśnie okazało, na pewno byłby go zabił; zawsze też nosił rozpięty rozporek i trzeba mu było mówić, żeby go zapiął, ale jako że był ślepy, wszystko mu się wybaczało. A kobiety tak się już przyzwyczaiły, że widząc jego gatki, nawet się nie gorszyły i doskonale wiedziały, jakiego były koloru: ostatnio miał parę zielonych, parę czarnych i parę kremowych, i nikt nie miał pojęcia, skąd wytrzasnął podobny przyodziewek.

Następny na liście przymusowych gości Juana Quintany był alkad wioski; wybrał sam siebie na ten urząd, w końcu był najbogatszym człowiekiem w osadzie lub, lepiej to ujmując, najmniej ubogim: miał więcej ziemi niż ktokolwiek inny, ale nie lubił zbyt dużo pracować, tym zaś, co najbardziej lubił, było picie. Miał na imię Feliciano i pił, żeby zapomnieć, że jego małżonka Margarita Cifuentes gada i gada, nie było sposobu, by ją uciszyć; doszło do tego, że wszyscy omijali ją z daleka – to nieprawdopodobne, jak można tyle mówić; powiadali nawet, że psy przed nią uciekają, a jej męża zwano Świętym Felicianem, faktycznie musiał być święty, żeby z nią jakoś wytrzymać. To, co inni mówili w dwóch słowach, na przykład DZIEŃ DOBRY, u Margarity zdawało się nie mieć końca: DZIEŃ ten dobry jest dla nas, wstał nam spokojny, ale zobacz tylko, co się będzie działo, z pogodą to jak z ludźmi, najlepsze, co możesz zrobić, to nie dowierzać, dlatego Felicianowi nie pozwalam patrzeć na żadną, tylko na mnie, a już zwłaszcza na te dzierlatki, a widziałaś jego córkę bla, bla, a dziś ugotuję rosół bla bla, w końcu DOBRY.

W pewien sposób sam Pan Bóg musiał jakoś znosić Margaritę Cifuentes poprzez swego wysłannika, ojca Federico. Spowiadać ją – oto prawdziwa droga krzyżowa; Margarita była bardzo dobrą kobietą i nie miała wcale tak dużo grzechów, z pewnością jej największym przewinieniem było gadulstwo, kiedyś ksiądz zasnął, słuchając jej, a innego dnia nie było sposobu, żeby skończyła, pomimo że ojciec Federico wszelkimi siłami próbował udzielić jej rozgrzeszenia, a ona mówi do niego: Jeszcze nie skończyłam, a tu księdzu strasznie chce się siusiu, zdążył pójść do toalety i wrócić, a ona nic nie zauważyła i dodawała coraz to nowe grzechy; Margarita Cifuentes streszczała księdzu również przepisy kuchenne, rozmowy ze swym mężem, opowiadała o najnowszej modzie w stolicy i historię swych przodków, a tu ojciec Federico wznosi wzrok ku niebiosom, to właśnie nazywają zdobywaniem korony niebieskiej.

Jedyną korzyść ze słowotoku swej małżonki odnosił alkad wówczas, gdy przychodziło mu ściągać podatki; to bardzo trudne zadanie w świecie biedaków, prosił zatem Margaritę Cifuentes, żeby z nim poszła, i w dziewięćdziesięciu procentach udawało jej się ich przekonać, gdyż lepiej było cierpieć głód niż słuchać. Nieszczęsny alkad Feliciano zwany Świętym przychodził do karczmy tak wyczerpany, że choćby nawet nie piastował tego urzędu, Juan Quintana z pewnością byłby mu stawiał, zasługiwał na to.

Zasługiwał na to również Józef Cieśla, który nigdy nie doszedł do siebie po śmierci córki Gracji, niewielką pociechą było dlań przyjście na świat następnych trojga dzieci. Zaprzestał pogawędek ze świętym Józefem, którego już nie uważał za członka rodziny: należała do niej jedynie jego zmarła córeczka. I teraz, zamiast do kościoła, chadzał do karczmy Pod Piratem, wypijał szklankę wina, przynosi więcej ulgi niż komunia, nie bluźnij, bluźnierstwem jest to właśnie, że Bóg mi zabrał moją dziewuszkę, i w każdą niedzielę chodził na cmentarz i rozmawiał z córką, Błogosławioną Gracją. Jedynie Juan Quintana rozumiał lepiej niż inni jego bezbrzeżną boleść; on, który tak bardzo kochał Bertę, nie mógłby znieść takiego bólu, więc jedyne, co mógł dla niego zrobić, to postawić mu jeszcze szklaneczkę.

I jakby nie dość było tego wszystkiego, musiał jeszcze stawiać Amadeuszowi Głuptakowi, który od dnia uratowania Berty zagustował niezmiernie w piciu, i gdy minął miesiąc, kiedy mu stawiano za jej uratowanie, przychodził nadal do karczmy i prosił o piwo, przypinał się do butelki tak samo niezgrabnie jak ssał, będąc niemowlęciem, i część płynu wylewała się na ziemię, a on, tak powolny do wszystkiego, wypijał go, szybki jak błyskawica, i nabrawszy animuszu dzięki alkoholowi, łapał Juana Quintanę i unosił go nad ziemię, i prosił, by mu postawił jeszcze jedno piwko, i któż by się ośmielił mu sprzeciwić, czego bowiem nie dostawało mu w rozumie, zbywało mu w niezwykłej krzepie.

Berta nie znosiła pracy w karczmie, lecz będąc kobietą i mieszkając w takiej wiosce jak Navidad, nie miała innego wyjścia, jak pomagać w prowadzeniu rodzinnego interesu. W dodatku przypadało jej w udziale to, czego najbardziej nienawidziła: zamiatanie. Mało tego: ojciec zabraniał jej rozmawiać z chłopcami przychodzącymi do karczmy, wyjąwszy tego, który najmniej ją interesował – Amadeusza Głuptaka.

Jedynym, co ją bawiło, było wysłuchiwanie oryginalnych pomysłów ojca, jak by tu przyciągnąć klientelę – stanowiło to jego prawdziwą obsesję. Jako że napiwki, które otrzymywał, były bardzo skąpe, dzwonił dzwoneczkiem, gdy ktoś raczył łaskawie zostawić parę groszy, chciał bowiem, żeby wszyscy się o tym dowiedzieli, a kiedy bywał roztargniony, dzieciaki dla zabawy przemykały chyłkiem do karczmy i pobrzękiwały dzwoneczkiem. Potem uciekały pędem, bo Juanowi Quintanie zupełnie nie przypadało to do gustu. Trzeba wam wiedzieć, że Juan Quintana był człowiekiem o wielkiej wyobraźni, i z pewnością gdyby ukończył studia lub urodził się w mieście, zaszedłby bardzo daleko. On również wymyślił, że poczta dla całej wioski będzie przychodziła do karczmy, pod warunkiem że wszyscy mieszkańcy będą osobiście ją odbierać, a przy okazji cokolwiek zamówią. Od dwudziestu lat w każdy poniedziałek, środę i piątek listonosz przybywał do karczmy z korespondencją; nazywali go cichym listonoszem, bo przez tych dwadzieścia lat usłyszeli od niego jedynie pięć słów (ciekawe, czy weźmie z niego przykład Margarita Cifuentes): D z i e ń d o b r y i k u r w a j e g o m a ć; te trzy ostatnie za każdym razem, kiedy rozkraczał się jego zdezelowany rower. Gdy tylko odchodził, Juan Quintana dzwonił dzwoneczkiem, aby zapowiedzieć, że nadeszła poczta, i oto sąsiedzi przychodzili do karczmy, lecz z rzadka zostawali na kieliszeczek, jak to planował wcześniej Juan Quintana, w końcu wszyscy dobrze wiedzą, teoria i praktyka to całkiem nie to samo.

Właśnie dzięki karczmie i pomysłowi ojca, żeby poczta przychodziła tutaj, Berta Quintana w wieku szesnastu lat poznała miłość. Jak to mówią, miłość tym jest piękniejsza, im bardziej niemożliwa, a romansowi Berty wszystko pod tym względem sprzyjało.

Portret Margarity Cifuentes

Rywalizacja pomiędzy Navidad a Ponsą istniała tak długo jak obie wioski i nieraz już zdarzały się poważne konflikty. Wszystko zaczęło się od bezpańskiej ziemi; mieszkańcy Navidad postanowili pewnego dnia, że należy ona do nich, a kiedy ponsyjczycy się o tym dowiedzieli, także jej zapragnęli, i niewiele brakowało, a doszłoby do rękoczynów; jeżeli tak się nie stało, to tylko dzięki interwencji władz stolicy, które salomonowym wyrokiem postanowiły podzielić teren na dwie równe części. Potem zaś dziewczyna z Navidad poczęła za sprawą mieszkańca Ponsy, który nie chciał się z nią ożenić. Dziewczyna odebrała sobie życie, wówczas nawidyjczycy udali się do sąsiedniej wioski z zamiarem zabicia tej świni; tylko dlatego się to nie udało, że mężczyzna ów zmarł na atak serca, gdy dowiedział się o samobójstwie. W obu wioskach zapadło milczenie, bo też nikt nie wiedział, co powiedzieć, i wszyscy poszli do domów opłakiwać swych zmarłych.

Szosa łącząca Navidad z Ponsą była w tak fatalnym stanie, że pięć dzielących obie wioski kilometrów zdawało się dziesięcioma, a jeszcze do tego zakręty, jeżeli zaś padało, droga pokrywała się błotem, tak że pięć kilometrów stawało się wiecznością. I chociaż Ponsa również nie mogła się poszczycić sławnymi synami ani własnym rzemiosłem, ani płodami ziemi, nie stała się także świadkiem żadnej z wojen, była jednak przejezdną wioską, znajdowała się bowiem przy nowej szosie, która połączyła ją ze stolicą; wówczas Ponsa urosła i wyprzedziła Navidad. Nie miała też legendy podobnej do tej o Tęczy, jednakże po przyjściu na świat Długiej Berty nie było się czym specjalnie przejmować. Koniec końców nazwa Ponsy figurowała na mapach większą czcionką niż Navidad, której mieszkańcy odczuwali zawiść zwyciężonych. Napisali nawet skargę do Państwowego Przedsiębiorstwa Kartograficznego, lecz nigdy nie otrzymali odpowiedzi.

Mieszkańcy Navidad udawali się do Ponsy jedynie w razie absolutnej konieczności i było bardzo źle widziane, kiedy młodzi z obu wiosek nawiązywali ze sobą jakiekolwiek stosunki. Porozumiewali się tylko w sprawach, jakich nie dało się uniknąć, jak na przykład udanie się do jedynego lekarza lub poczta, przychodząca do Navidad z Ponsy, do której z kolei docierała ze stolicy.

Berta ujrzała go, gdy pojawił się w wiosce po raz pierwszy. Miał na imię Jonasz i mianowano go właśnie nowym listonoszem po przymusowym przejściu na emeryturę jego poprzednika, który po prostu przeniósł się na tamten świat. Choć nie był złym człowiekiem, żaden z mieszkańców Navidad nie żałował go specjalnie, był przecież z Ponsy, a choćby nawet nie był, przez te nieszczęsne pięć słów na krzyż nie mógł w żaden sposób zaskarbić sobie czyjegokolwiek szacunku, jak bowiem głosiło przysłowie: „Synowie Ponsy nawet martwi nie są warci naszego honoru".

Nowy listonosz przyjechał na nowiutkim rowerze; wlókł się prawie pół godziny, gdyż żadnym sposobem nie można było naprawić szosy. Kiedy wszedł do karczmy, by zostawić pocztę, Długa Berta właśnie zamiatała i stanęła jak wryta, spoglądając na niego ze zdumieniem: po raz pierwszy widziała wyższą od siebie istotę, Jonasz miał bowiem dwa metry wzrostu; on także spojrzał na nią z osłupieniem. Przez ułamek sekundy skrzyżowały się ich spojrzenia, czasu jednak było aż nadto, by Berta mogła zatonąć w jego tak bardzo błękitnych oczach: było to tak, jakby ukradkiem podglądała niebo, i poczuła się szczęśliwa, że może unieść głowę, by popatrzeć na jakąś ludzką istotę. Wówczas pojawił się Juan Quintana, ty jesteś nowym listonoszem, tak, jak masz na imię? Jonasz, cóż to za dziwne imię, i chłopiec wręczył mu listy, i Juan Quintana zmierzył go spojrzeniem od stóp do głów, jesteś bardzo wysoki, pewno twoja matka jadła mnóstwo drożdży podczas ciąży?, i Jonasz wzruszył ramionami, nie bardzo pojmując pytanie, i wyszedł z karczmy, i wtedy znów na siebie spojrzeli; tego dnia Berta poczuła, jak jej serce bije niespokojnie, nie mógł wyjść jej z głowy Jonasz, jego oczy błękitne jak niebo; wtedy przypomniała sobie karzełka, którego poznała w cyrku, tego, co jej powiedział, że można być szczęśliwym i długim jednocześnie, i przypomniała sobie jego błękitne oczy, prawie tak piękne jak Jonasza. Prawie. I tak oto miłość zawładnęła życiem Długiej Berty.

Tak samo jak czynił to poprzedni listonosz, w każdy poniedziałek, środę i piątek Jonasz przywoził pocztę o dwunastej w południe. Od chwili gdy się poznali, dla Berty istniały już tylko poniedziałki, środy i piątki, nienawidziła zaś wtorków, czwartków, sobót i niedziel, a w poniedziałki, środy i piątki zabierała się do zamiatania już o wpół do dwunastej, bo jakby tak przypadkiem przyszedł wcześniej, i teraz uwielbiała zamiatać, a kiedy się widzieli, Jonasz pochylał głowę, obezwładniony własną nieśmiałością, i to samo zdarzało się Bercie, a oprócz tego musiała mieć się na baczności, czy Juan Quintana ich nie obserwuje. Kiedy Jonasz wręczał listy ojcu Berty, dziewczyna nadal zamiatała, spoglądając nań spod oka – nigdy w całej swej historii podłoga w karczmie nie była tak czysta.

A w tamtych dniach pogoda w Navidad była cudowna, niebo bezchmurne i błękitne jak oczy Jonasza. A Berta czuła się promienna jak samo słońce, chodziła dumnie, głowę nosiła wysoko i była, jak nigdy dotąd, niezwykle uprzejma dla swych sąsiadów: pozdrawiała ich z uśmiechem nieledwie onieśmielającym, bawiła się z dziećmi i pomagała staruszkom wyjść na spacer, a nawet zaszczyciła rozmową Margaritę Cifuentes – było to właściwie coś niezbyt trudnego, gdyż tamta zaczęła trajkotać jak papuga, ależ jesteś zadowolona, widziałaś, jakie piękne mamy dni, powiedziałam już Felicianowi, że ostatnio bardzo wyładniałaś, idę do fryzjera, te moje włosy to już naprawdę nieprzyzwoitość, jak je mam takie długie, w ogóle się nie trzymają, potem muszę iść po zakupy, bo jutro będę musiała pomóc Felicianowi napisać jakieś listy i nie będę miała ani minutki wolnej, bla, bla. Dlatego pierwszy i ostatni raz Berta to zrobiła, bo choćby nie wiem jak była zakochana, nie była taką kretynką, żeby jeszcze raz wysłuchiwać paplania Margarity.

I tylko o Jonaszu mogła myśleć, i wszystko wydawało jej się cudowne, zwierzęta, życie, drzewa, zachody słońca. Podobały jej się nawet przyśpiewki doñi Lucii, starej mieszkanki Navidad, lekko szurniętej, którą niekiedy nocą nachodziła chęć na śpiewanie i budziła wtedy całą wioskę, gdyż robiła to o trzeciej nad ranem, a najgorsze było, że śpiewała tak okropnie, iż nawet dzieci, które, jak wiadomo, śpią głęboko, budziły się, i trzeba było pójść do niej do domu i zatkać jej gębę, żeby wreszcie umilkła. Niejeden mówił, że właściwie można by zrobić to samo z Margaritą Cifuentes.

A ponieważ niemożliwe było, by Jonasz pojawił się niepostrzeżenie, rozeszła się wieść, że nowy listonosz jest jeszcze wyższy niż Berta, i zaraz zaczęły się podśmiechuszki, że oboje tworzą doskonałą parę i że jak się pobiorą, będą mieli dzieci wzrostu dwa i pół metra, i Jonasza nazywali od tej pory Długim Jonaszem. Kiedy ów żart dotarł do Juana Quintany, ten wściekł się i zaczął kopać drzwi karczmy. Roberta Anaya, w obawie, że się powtórzy historia pradziadka, poprosiła o pomoc Józefa Cieślę i w końcu udało im się go uspokoić. Wszystkich zaskoczyła furia Juana Quintany i od tej chwili nikt już nie podejmował tego tematu, przynajmniej w jego obecności. Na wszelki wypadek Juan Quintana porozmawiał bardzo poważnie z córką, powiedział jej, by się nie ważyła zakochać w listonoszu, który na domiar wszystkiego jest z Ponsy, a Berta okłamała go i powiedziała, że w ogóle nie zwróciła na chłopca uwagi i że nie zamienili ze sobą ani słowa – to akurat była prawda – a Juan Quintana powiedział jej, że jeśli zobaczy ich razem, to go zabije; lecz miłość Berty już była nie do powstrzymania i nikt, nawet jej własny ojciec, nie mógł położyć temu kresu.

Złapał również Jonasza za pasek i poprosił Bertę, by wyszła z karczmy, a kiedy zostali sami, powiedział mu bardzo zdecydowanie, żeby mu nawet do głowy nie przyszło podrywać jego córkę. Listonosz, który zorientował się, że Juan Quintana mówi bardzo poważnie, odpowiedział, że tylko wykonuje swą pracę, i że tak samo jego rodzina nie pozwoliłaby mu na żadne stosunki z nawidyjką. Z podcienia karczmy Berta próbowała podsłuchać rozmowę między Jonaszem a ojcem, lecz w tym momencie zbliżył się do niej Amadeusz Głuptak, zaniepokojony plotkami, które również do niego dotarły, ma ma ma ma masz na na na narzeczonego?, i po raz pierwszy w życiu Berta ofuknęła go, co powiesz, to głupio, nie mam żadnego narzeczonego, i Amadeusz Głuptak poczuł się nieco spokojniejszy, lecz smutny z powodu takiego potraktowania przez dziewczynę. Kiedy Jonasz wyszedł z karczmy, spojrzał na Bertę, a ona na niego, a Amadeusz Głuptak popatrzył na listonosza spode łba i miał ochotę podstawić mu nogę, lecz nie uczynił tego, bo przecież Berta znowu by mnie ochrzaniła.

Chociaż nic do siebie nie mówili, Długa Berta i Jonasz kochali się w milczeniu i gdy minęło półtora miesiąca od chwili poznania, pewnego dnia, kiedy Jonasz wszedł do karczmy i mijał Bertę, upuścił na ziemię list. Długa Berta zrozumiała, że to list do niej, podniosła go z ziemi i wsadziła do kieszeni. Gdy tylko Jonasz odszedł, pobiegła do swego pokoju i wyciągnęła się na łóżku, by list przeczytać. To był bardzo krótki list, tylko: bardzo mi się podobasz, ale Berta uważała, że jest cudowny, pełen uczucia. Kiedy go czytała, dotarło do niej, jak bardzo jest zakochana. Przeczytała go raz i drugi, gładząc napisane atramentem litery, i westchnęła z miłości po raz pierwszy w życiu, jakież piękne jest jego pismo, jakiż cudowny papier listu, jakże piękne jest życie, i schowała list pod materac łóżka. Zastanawiała się, w jaki sposób Jonaszowi odpowiedzieć, gdyż nie odważyłaby się doń przemówić, i postanowiła, że także do niego napisze, napisała ze sto brudnopisów, i kiedy w końcu zdecydowała, jak będzie wyglądał tekst, a mówił on: Ty też bardzo mi się podobasz, od kiedy Cię znam, tylko o Tobie mogę myśleć, Twoje oczy są cudowne, wypróbowała rozmaite rodzaje pisma, zobaczymy, które najładniejsze, i napisała tekst samymi wielkimi literami, potem samymi małymi, kursywą, pismem z zawijasami, dorosłym pismem, naśladującym pismo matki, i w końcu zdecydowała się na najprostsze, i pięć dni męczyła się, zanim napisała ostateczną wersję listu. Wtedy zaczekała na Jonasza na ganku, położyła list obok drewnianej nogi pradziadka i wskazała go wzrokiem. Chłopiec wziął list i parę dni później odpowiedział jej bardzo podobnie, ja też nie mogę żyć bez Ciebie, Twoje oczy są najpiękniejsze ze wszystkich, jakie widziałem. I ona znów do niego napisała, i tak na przemian. Tak właśnie rozpoczęła się korespondencyjna miłość, lepiej nie można tego ująć.

I teraz Berta, zamiast czekać na Jonasza w karczmie, czekała na ganku, zamiatając i ścierając kurz z drewnianej nogi pradziadka, by móc podać chłopcu listy i odebrać te, które on napisał; nigdy ganek i noga pradziadka nie były tak czyste.

W ten sposób dowiedziała się, że Jonasz ma osiemnaście lat, mieszka ze swą ciotką Enriquetą i że jego wielkim marzeniem jest wyjazd do stolicy, gdzie chciałby zostać kierowcą autobusu. Opowiedział jej też o wszystkich problemach, jakie miał ze swym wzrostem, i Berta poczuła, że ktoś ją rozumie, bo były bardzo podobne do jej własnych, i powtórzyła mu zdanie swego ojca, który zawsze mówił, że ci najwyżsi są najbliżej nieba. I poczuła się spokojniejsza, kiedy Jonasz napisał jej jeszcze, że nie ma dla niego znaczenia, iż ona pochodzi z Navidad, że nigdy nie rozumiał rywalizacji między dwiema wioskami, że marzy o tym, by kupić sobie motor, i że przepada za baraniną, uwielbia jajka na śniadanie, strasznie lubi kawowe cukierki i grać w piłkę nożną. Dowiedziała się też, że jeden z jego przodków, Holender, był bardzo wysoki i że pojechał do Ameryki, by dorobić się fortuny, i choć się jej nie dorobił, udało mu się przekazać swym potomnym kolor oczu. Berta dziękowała Bogu za holenderskiego przodka Jonasza, który bez wątpienia sprawił, że oczy chłopca były błękitne jak samo niebo.

Od kiedy Długa Berta dowiedziała się, że Jonasz lubi kawowe cukierki, za każdym razem gdy szła do sklepiku Dolores, która prosiła ją o pomoc przy zdejmowaniu i układaniu na półkach puszek i słoików, życzyła sobie, by cukierki, jakie jej dadzą, były miętowe dla niej, ale też kawowe – dla niego. Za każdym razem, gdy Jonasz przychodził do karczmy, zostawiała kawowy cukierek przy drewnianej nodze pradziadka, a on go zabierał, i jako że nadal nie rozmawiali ze sobą, dziękował jej ciepłym uśmiechem. Od tego czasu Jonasz także robił jej prezenty: w każdym liście znajdował się znaczek i w ten sposób Berta dowiedziała się, że chłopak ma kolekcję znaczków, które odziedziczył po swym holenderskim przodku i że marzy o tym, by przemierzyć cały świat, i dzięki niemu odkryła istnienie rozmaitych odległych miejsc; o wielu spośród nich nie słyszała nawet w szkole. Bawiły ją nazwy krajów, jakież ciekawe były niektóre. Na przykład Francja przypominała jej świnkę, którą jako mała dziewczynka hodowała w chlewie swych rodziców i która nosiła imię Franka; Stany Zjednoczone, cóż za przedziwna nazwa; co to może znaczyć, że są zjednoczone, może jest tam mnóstwo rodzeństw syjamskich, takich jak to, które widziała w cyrku; Liechtenstein – nawet nie wyobrażała sobie, ile czasu potrzebowałby Amadeusz Głuptak, żeby się tego słowa nauczyć; Iran – kraj dla Ireny albo Gwate-mala, na pewno tam mieszka zła wiedźma Gwate, nigdy nie pojechałaby do kraju o takiej nazwie. A Jonasz, prócz tego, że podarował Bercie znaczki, opowiadał jej mnóstwo o tych krajach; mogła je oglądać godzinami, i w wyobraźni podróżowała dookoła świata; jeździła z Francji do Włoch rankiem, z Chin do Stanów Zjednoczonych po południu i z Kanady do Egiptu przed kolacją. A wieczorem zostawała w Indiach i zasypiała z myślą o tym, że pewnego dnia będzie mogła podróżować ze swym ukochanym i będzie miała świat cały u swych stóp. Pewnego dnia.

Miłość obudziła w niej również dziki apetyt, nieustannie była głodna; Roberta Anaya nigdy nie widziała, żeby Berta tyle jadła – utyła parę kilogramów i wyglądała świetnie, bo przedtem była zbyt szczupła; także jej twarz straciła dawną bladość i nabrała ślicznych rumieńców. Nawet trądzik gdzieś się podział; czasami budziła się nocą, myśląc o Jonaszu, i wstawała, i szła prosto do kuchni, i zjadała wszystko, co wpadło jej w ręce. A kiedy zasypiała, zdarzało jej się znowu śnić, że idzie ulicą i silny podmuch wiatru przewraca ją na ziemię, i upada, ale wtedy zaraz pojawiał się Długi Jonasz, który zamiast na rowerze jechał na białym koniu i ratował ją, i tonęli w cudownym pocałunku, tak złączeni, że ani wiatr, ani huragan, ani sam Pan Bóg nie zdołałby ich rozdzielić.

I chodziła teraz do Niebiańskiego Zakątka, by myśleć o ukochanym, i szukała jego twarzy pośród chmur; lecz, jako że pogoda w tamtych dniach była tak piękna, nigdy nie zbierało się ich dosyć, by zarysowała się cała sylwetka, i musiała się zadowolić niewielkimi fragmentami jego ciała: ta chmura przypomina jego usta, ta druga jest jak jego mały palec, a tamta jak nos; zabierała też ze sobą jego listy i czytała je raz i drugi, i nigdy nie miała dosyć czytania ich raz jeszcze. I choć już znała treść na pamięć, niezmordowanie gładziła papier, którego dotykały ręce chłopca, i z miłością patrzyła na litery przez niego nakreślone. Pewnego dnia będzie z nim razem w Niebiańskim Zakątku, i skreślała w małym zeszyciku minuty, których brakowało jeszcze do najbliższego spotkania, tak jakby była więźniarką, i naprawdę nią była, niewolnica miłości; i sekundy wydawały jej się godzinami, godziny – całymi dniami, a kiedy wreszcie się widzieli, Berta już cierpiała, myśląc o tym, jak krótkie będzie ich spotkanie. I znowu czekanie; jak pięknie jest cierpieć. I czuła się tak szczęśliwa, że poszła do kościoła w Navidad podziękować Bogu, który sprawił, że poznała Jonasza. To już po raz drugi miała powód, by Mu dziękować. Pierwszy raz to zrobiła, kiedy skończyła trzynaście lat i przez trzy miesiące nie urosła nawet o centymetr, lecz w następnym miesiącu znów się zmierzyła i była o pięć centymetrów wyższa, nigdy dotąd tyle nie urosła przez miesiąc, a teraz, gdy była zakochana, ponownie uwierzyła niezłomnie w Boga, prosiła Go tylko o jedną łaskę, spraw, by mój ojciec pozwolił mi z nim chodzić. Młody ojciec Federico widział ją tak zadowoloną, że nabrał przekonania, iż przyczyną wielkiej przemiany, jaką przeżyła Berta, były jego rady i zapał, by pobudzić ją do życia. Darzył ją szczególnym upodobaniem; kiedy ją poznał, była bezbronną dziewuszką o smutnych oczach, a teraz widział ją szczęśliwą i pewną siebie. Tak czy inaczej kobiety stanowiły dla ojca Federico wielką tajemnicę: nigdy nie zdoła pojąć ich sposobu działania. Został księdzem nie z winy jednej kobiety, lecz wielu; był jedynym mężczyzną pośród siedmiu sióstr i u boku matki wdowy, w jego domu zamieszkały również jego dwie ciotki – stare panny – i Federico jako młodzieniec przebywał niczym w kurniku z dziesięcioma babami, które często gadały wszystkie naraz i w końcu miał ich wszystkich powyżej uszu. Kiedy postanowił zostać księdzem, sprawił wielką przykrość swej matce, która zrozumiała, że nazwisko rodowe nie doczeka się przedłużenia; zawsze też marzyła, że w jej domu znajdzie schronienie cała gromada wnuczek, gdyż wolała dziewczynki, i synowa, którą na pewno traktowałaby jak córkę.

Amadeusz Głuptak także zauważył szczęście Berty, widoczne przede wszystkim na jej twarzy, i mówił jej o tym: ja ja jaka je je jesteś śliczna, ale ponieważ był tak strasznie tępy, nie podejrzewał nawet, że może być zakochana, mimo plotek, dla dla dlaczegoś mi mi mi to po po powiedziała nie nie nie mam na na narzeczonego. Na lekcjach pisania Berta była roztargniona i wszystkie litery przypominały jej Jonasza: J jak Jonasz, M jak miłość, P jak pocałunek, Z jak zakochać się, S jak szczęście, N jak niebo, M jak małżeństwo, i myśli jej umykały, gdy o nim myślała, nijak nie mogła się skupić i prawie nie uczyła Amadeusza. Ten zaś nic jej nie mówił, bo w ten sposób nie musiał się uczyć, a ciasteczka, które dawała mu matka, Remedios, tym razem zjadała Berta, miała bowiem wilczy apetyt i mówiła mu, że sama musi je zjeść, a Amadeusz patrzył na nią z zazdrością i zdumieniem, bo na domiar wszystkiego pożerała je, doprawdy, zamiast zjadać.

I Długa Berta pragnęła być dla Jonasza bardzo piękna i jak nigdy w życiu grzebała się godzinami przy ubieraniu, i poprosiła matkę, żeby jej uszyła więcej sukienek, i próbowała pomalować sobie usta szminką Roberty Anai, ale gdy przejrzała się w lustrze, nie spodobała się sobie i postanowiła wszystko zetrzeć w obawie, że zrobi z siebie pośmiewisko, a bardziej jeszcze ze strachu przed ojcem. Próbowała ułożyć swe długie włosy w różne fryzury, lecz żadna nie przypadła jej do gustu. Włożyła też kłębuszki waty do stanika, żeby jej piersi wydawały się większe, takie jak u matki. Ale zrobiła to tak niezręcznie, że kiedy wkładała później sukienkę, żeby zobaczyć, jak to będzie wyglądało, cała wata się poprzesuwała, i gdy spojrzała w lustro, aż się przeraziła: wyglądała, jakby miała trzy piersi – dwie prawdziwe i kłąb waty na samym środku. I między jedną czynnością a drugą spędzała długie godziny zamknięta w łazience, a Juan Quintana walił w drzwi, chcąc tam wejść, a ona, aby nie wzbudzać podejrzeń, mówiła mu, że strasznie ją boli brzuch, i aby przydać swym słowom większej wiarygodności, wydawała ustami dźwięk do złudzenia przypominający pierdzenie, tak donośny, że nawet jej ojciec był przerażony.

Roberta Anaya pierwsza zorientowała się, że dziewczynka jest zakochana. Prawdę mówiąc, nie było to trudne do zauważenia, gdyż całe dnie chodziła z głową w chmurach, a wieczorami była jak z księżyca, i to, że tyle jadła, i nigdy dotąd nie grzebała się tak przy ubieraniu, i oczy miała błyszczące, i promienny uśmiech zagościł na jej twarzy, i nuciła w łazience, i trzeba jej było powtarzać wszystko dwa razy, obudź się, córeczko, i zapytała Bertę, w kim się zakochała. Dziewczynka z początku nie chciała jej nic wyznać, bała się, że matka powie o tym ojcu, ale potem przytuliła się do niej, tak bardzo pragnęła z nią porozmawiać, i powiedziała jej, że zakochała się w Jonaszu, jestem taka szczęśliwa, kocham go, proszę, nie mów o tym ojcu. I matka, widząc ją tak bardzo zakochaną, przysięgła jej, że nie piśnie ani słówka Juanowi Quintanie, ale ojciec na pewno nigdy się nie zgodzi na narzeczeństwo z tym młodzieńcem, zwłaszcza jeśli jest z Ponsy; od tej chwili matka stała się powierniczką córki, uważaj na facetów, tylko seks im w głowie, a Berta też zapragnęła się dowiedzieć, jak się zakochali w sobie jej rodzice, i Roberta Anaya z nostalgicznym uśmiechem powiedziała jej, że Juan Quintana zakochał się w jej oczach.

Na szczęście Juan Quintana nie odkrył, że Berta się zakochała, choć naturalnie coś podejrzewał, zważywszy, że dziewczynka zachowywała się inaczej niż zwykle. Powiedział o tym Robercie Anai, a ona zdołała go przekonać, że mała nie kocha się w nikim, jest tylko w bardzo trudnym wieku; na wszelki wypadek Juan Quintana poszedł tego samego dnia pod drzewo zakochanych i zobaczywszy, że nie ma tam imienia Berty, odetchnął z wielką ulgą. A Amadeusz Głuptak zajął już pół pnia i lada moment będzie potrzebował całego drzewa tylko dla siebie.

Kochany Jonaszu:

Kochany Jonaszu:

KOCHANY JONASZU:

Kochany Jonaszu:

Kochany Jonaszu:

KOCHANY JONASZU:

Kochany Jonaszu:

Kochany Jonaszu:

KOCHANY JONASZU:

Kochany Jonaszu:

Kochany Jonaszu:

Kochany Jonaszu:

Rodzaje pisma wypróbowane przez Bertę, gdy pisała do ukochanego

Upłynęły już ponad trzy miesiące od chwili, gdy Berta i Jonasz się poznali. Nie dość, że nadal nie zamienili ani słowa – nie mieli również do tej pory choćby najmniejszego kontaktu fizycznego, nawet gdy przekazywali sobie listy, gdyż z obawy przed Juanem Quintaną zostawiali je przy drewnianej nodze pradziadka. I choć Jonasz był z Ponsy, przez te trzy miesiące zapracował sobie na szacunek wszystkich nawidyjczyków; małomówny jak jego poprzednik, był przecież młodzieńcem dobrze ułożonym i nikomu nie wadził. Nawet Juan Quintana był wobec niego uprzejmy, skoro się okazało, że nic nie zaszło między nim a jego córką.

Aż któregoś dnia młodzi spotkali się akurat w tym momencie, gdy Juan Quintana, odebrawszy pocztę, udał się do toalety, korzystając naturalnie z tego, że nie była zajęta przez córkę. To wtedy właśnie Berta zdecydowała się dać Jonaszowi list i po raz pierwszy się dotknęli, musnęły się ich palce i Berta poczuła ogień, prąd elektryczny, iskry i proch, lecz akurat w tej chwili pojawił się Amadeusz Głuptak, w samą porę, cze cze cześć Bee Bee eer taa. Jonasz błyskawicznie odskoczył od niej i czmychnął. Berta chciała zbesztać Amadeusza, ale nie mogła wykrztusić ani słowa; oniemiała i patrzyła zdumiona na dłoń, której dotknął jej ukochany, i nagle poczuła obezwładniający żar – ogarnął całe jej ciało. Dotknęła czoła, aż paliło, tak samo ramiona i tułów, i nogi. Nie słyszała wcale Amadeusza Głuptaka, który mówił do niej co co co z to to tobą? Poszła do swego pokoju i poczuła, jak cała armia kropel potu maszeruje po jej ciele, i owładnęło nią pragnienie, by kochać Jonasza, dotykać, pieścić, i to pragnienie było tak silne, aż się go zawstydziła, przecież uczono ją, że seks ma być po ślubie, i nawet nie odważyła się powiedzieć matce o tym, co się jej przydarzyło. Zamknęła się w łazience i oblała wodą, szukając ulgi, choć doznała jej tylko przez króciutką chwilę, bo w parę minut po wyjściu z wanny znowu była cała wilgotna od potu.

I od tego momentu temperatura w Navidad zaczęła nieprawdopodobnie rosnąć, i nie przestawała się podnosić w następnych dniach, aż stała się nie do zniesienia. Na ulicach nie można było spotkać bawiących się dzieci, włóczących się psów ani spacerujących starców, ani kobiet gawędzących pół dnia. Nawet słaby wietrzyk nie przynosił nawidyjczykom ulgi, gdyż tak był gorący, że aż ich drażnił. Mieszkańcy Navidad, którzy z natury byli powolni, teraz żyli w tempie właściwym raczej ślimakom niż rodzajowi ludzkiemu, niewiele brakowało, a zderzaliby się ze sobą na ulicach, i prawie nie udawało im się pracować. Jedynie porządne ochlapanie się bardzo zimną wodą przynosiło nieco ulgi, zdarzali się zatem tacy, którzy brali kąpiel nawet trzy razy dziennie, coś niesłychanego w Navidad, zważywszy iż było powszechnie znaną rzeczą, że nawidyjczycy nie lubią się kąpać; większość, która miała zwyczaj czynić to raz lub dwa razy w tygodniu, teraz robiła to codziennie.

Pedro Ślepiec, który jako ślepiec miał bardzo wyczulony węch, gotował się z wściekłości, gdyż, choć nawidyjczycy kąpali się jak nigdy, smród był straszliwy; wiele razy zdarzyło mu się zemdleć, i chodził wszędzie, zatykając nos, jak zwykle z rozpiętym rozporkiem, teraz jednak, kiedy mówiono mu, żeby go zapiął, nie przejmował się w ogóle, jeszcze rozpinał sobie koszulę, zobaczymy, może wpuszczę trochę powietrza, tak bardzo mi go potrzeba.

Berta i inne nawidyjki wachlowały się bez ustanku, także mężczyźni, którzy z początku czynili to po kryjomu, wachlowanie się to babska sprawa, w końcu zaczęli wietrzyć pot i swe humory publicznie, niech będzie, co chce, byleby zaznać nieco ulgi w tym upale. Niektórzy mężowie kazali żonom, by ich wachlowały, podobnie rodzice dzieciom, a Amadeusz Głuptak wachlował się z takim rozmachem, że złamał niejeden wachlarz swej matce, Remedios, która była kompletnie zrozpaczona z powodu syna, nie było bowiem sposobu, żeby cośkolwiek dobrze zrobił, i ona, nosząca imię Remedios, co się tłumaczy jako Ulga lub Lekarstwo, mówiła: ten, dla którego nie ma lekarstwa, to mój synuś.

Przepadła większość zbiorów, przede wszystkim owoce; były najdelikatniejsze, więc zwijały się w sobie z braku wody i spadały z drzew, a musiały być okrutnie zgniłe w środku, skoro ani mrówki, ani inne owady, które normalnie zrobiłyby sobie z nich ucztę, nawet się nie zbliżały, by ich spróbować. Inne pokarmy również psuły się przez noc, choć były schowane do lodówki. Sklepikarka Dolores wysłuchiwała niekończących się reklamacji, sprzedałaś nam zepsutego tuńczyka, tuńczyk był super, to tylko ten przeklęty upał. Biedna Dolores była w rozpaczy, widziała, jak cały interes obraca się w perzynę; któregoś dnia, gdy Berta przyszła po zakupy, zobaczyła, jak wachluje sałatę – widziano też, jak wietrzyła pomidory i puszki konserw, które niczego nie konserwowały. Z powodu zepsutej żywności miało miejsce wiele zatruć, a najgorzej wyszedł na tym wszystkim Amadeusz Głuptak, który żarł jak świnia; wymiotował przez wiele dni – całe szczęście, że nikt poza nim nie miał ochoty jeść w tym upale. Długa Berta straciła kilogramy, o które udało się jej przytyć. I znów oddawała ciasteczka Amadeuszowi Głuptakowi, bo choćby nie wiem jak była zakochana, w tej duchocie nie dawało się jeść, a on był jej wdzięczny bardziej niż kiedykolwiek, gdyż po tym wszystkim, co zwymiotował, czuł okrutny głód.

Nocami temperatura rosła jeszcze bardziej, podobnie jak pożądanie Berty, która pragnęła dotknąć ukochanego, poczuć jego skórę, obdarzyć go głębokim pocałunkiem, miała nawet ochotę go polizać i tuliła się do poduszki; wyobrażała sobie, że to on, i całowała poduszkę, a o świcie, gdy wreszcie zasypiała, we śnie o drzewie ukazywał jej się znowu Jonasz, by ją uratować; tym razem kochali się, splatały się ich ciała, a Juan Quintana widział ich i chciał zabić Jonasza. I dziewczyna budziła się przerażona, krzycząc, pośród mokrych od potu prześcieradeł.

Tak samo jak Długa Berta, wielu nawidyjczyków, którzy normalnie spali jak susły, zaczęło cierpieć na bezsenność, jakiej nigdy dotąd nie doświadczyli, i słychać było, jak dzieci płaczą, psy wyją, a doña Lucía była tak udręczona upałem, że nie śpiewała. Mężczyźni kochali się ze swymi żonami całe godziny, gdyż w takim upale poruszali się bardzo wolno, i bardziej czuli swój własny pot aniżeli rozkosz; wypacali całą wodę, jaką za dnia wypili, a prześcieradła można było wyżymać. Przy łóżkach tworzyły się kałuże potu, całkiem jakby byli w saunie, i naturalnie odchodziła im cała ochota na miłość; w tych dniach zarówno mężczyźni jak kobiety, przede wszystkim małżonkowie, zeszczupleli w zadziwiającym tempie. I jako że kochali się przy otwartych na oścież oknach, dyszenie rozlegało się w całej wiosce, a Berta zakrywała sobie głowę poduszką, żeby ich nie słyszeć, bo czuła takie samo pragnienie jak dorośli, chcę się z tobą kochać, Jonaszu.

Juan Quintana spędzał całe noce, spacerując po swym pokoju od ściany do ściany, aż drewniana podłoga została kompletnie zniszczona, i próbował wszelkich sposobów, by zasnąć, począwszy od chodzenia całymi kilometrami przed snem, by się zmęczyć, poprzez odstawienie kawy, którą zastąpił naparem z lipy, aż do liczenia owieczek, psów, kogutów, cycuszków; w końcu postanowił liczyć klientów, to w każdym razie było nieco zabawniejsze, i naliczył tylu, że zapełniłby nimi sto karczem takich jak jego własna, i poradził córce, niech liczy cośkolwiek, żeby pomóc sobie usnąć, i ona wysłuchała go z uwagą, lecz zamiast liczyć, skreślała sekundy, jakich jeszcze brakowało do spotkania z ukochanym. A Juan Quintana upadł do tego stopnia na duchu z powodu upału, że nawet nie miał ochoty ssać lewej piersi Roberty. I podczas tych wielu godzin, jakie mógł przeznaczyć na rozważania, przyszedł mu do głowy pomysł na zażegnanie upału, cała wioska mu przyklasnęła: pozwolić śpiewać doñi Lucii, istnieje bowiem słynne przysłowie o tym, że ci, co źle śpiewają, wywołują deszcz, i tak, z początku z prawdziwą rozkoszą, potem z poczucia obowiązku doña Lucía śpiewała prawie cały tydzień, aż kompletnie straciła głos. Lecz nawet wówczas nie zaczęło padać, a na dodatek nawidyjczycy byli całkowicie wyczerpani, musieli ją przecież tak długo znosić. Jedynie Bercie nie przeszkadzały specjalnie jej pienia, gdyż mimo wszystko – nawet wbrew obezwładniającemu upałowi – życie nadal wydawało jej się cudowne: drzewa, kwiaty, wiatr, nawet krople potu. W tym czasie, by znaleźć ulgę w upale, za dnia wędrowała myślami do Kanady, gdzie zgodnie z tym, co opowiadał jej ukochany, zawsze było strasznie zimno, wyobrażała sobie, jak siedzi na śniegu, który, naturalnie, rozpuszczał się w przeciągu kilku minut. Odrzucała egzotyczne hinduskie wieczory, wybierając rześkie rosyjskie zmierzchy. Nawet w ten sposób nie mogła jednak zasnąć.

Najbardziej ze wszystkich cierpiał z powodu bezsenności alkad Feliciano, zwany Świętym, gdyż jego małżonka, Margarita

Cifuentes, także nie mogła zasnąć i gadała bez ustanku, a co gorsza, o trzeciej nad ranem podejmowała kwestie transcendentalne, skąd przybywamy, dokąd zmierzamy, dlaczego tak walczymy, Feliciano, przecież ty mnie w ogóle nie słuchasz; a on usypiał wreszcie, kompletnie wyczerpany, a rano, co za ból głowy.

Za dnia zmęczenie brało ich we władanie i sprawiało, że wszyscy byli niezwykle drażliwi. Nigdy dotąd nie można było słyszeć tylu kłótni między małżonkami, między rodzicami a dziećmi, między sklepikarzami a klientami. Najłatwiej jednak wpadał we wściekłość Alberto Cukiernik, a najwyższą cenę za zły humor ojca płacił jego syn, Amadeusz Głuptak, który nigdy w życiu nie dostał tylu kuksańców, idź ty głupolu. Szczęściem mieli sjestę, jedyną godzinę, kiedy mogli się zdrzemnąć; po duchocie w porze obiadu, kompletnie otumanieni upałem nie do opisania o południowej godzinie, usypiali na chwilkę. Nawet zwierzęta były strasznie rozdrażnione, psy gryzły swych panów, krowy dawały gorzkie mleko, a owce, w swych wełnianych płaszczach, których nie mogły się pozbyć, nie były w stanie ścierpieć upału i niejedna padła z odwodnienia; musieli je strzyc przed terminem, aby nie dopuścić do masakry. Nigdy też kobiety nie wyprały takiej ilości prania, które schło z iście magiczną szybkością; majtki i staniki w pięć minut, prześcieradła i ręczniki w dwadzieścia, spodnie w kwadrans.

Juan Quintana był jednym z niewielu, którzy wzbogacili się na tym upale, gdyż sąsiedzi przychodzili do jego baru, aby szukać ulgi dla swych gardeł, jak nigdy dotąd. Częściowo stało się tak dzięki lekarzowi, który leczył mieszkańców Navidad i musiał pojawić się osobiście nie raz i nie dwa, by ich ratować w przypadku odwodnienia; oznajmił wszystkim niezwykle serio, że muszą pić co najmniej trzy litry dziennie, do czego zupełnie nie byli przyzwyczajeni, a co będzie, jak wylezą z nas żaby od tego picia, lepsze żaby niż śmierć z odwodnienia. Mając absolutnie dosyć picia takich ilości wody, nawet kobiety, które normalnie nie zaglądały do karczmy, teraz przychodziły, pragnąc napić się czegoś chłodnego, i wiele spośród nich spróbowało alkoholu po raz pierwszy w życiu, zobaczymy, a nuż zapomnimy na chwilkę o tej przeklętej duchocie, i jako że nie były przyzwyczajone, nierzadko się upijały: zabawnie było je widzieć tak ożywione, zapominały na parę godzin o upale, ale za to co za kac następnego dnia. Nawet Juan Quintana oznajmił, że wolałby mieć mniej klientów i znośniejszą temperaturę, co było najlepszym dowodem na to, jak straszna musiała być spiekota.

Na domiar złego w poniedziałki, środy i piątki, zanim Berta zabierała się do zamiatania, brała prysznic i nacierała ciało tak mocno, aż ją bolało, chciała bowiem pięknie pachnieć dla swego ukochanego. Ponadto oprócz kawowego cukierka miała przygotowaną dla Jonasza szklankę wody, którą stawiała obok nogi pradziadka, gdyż jej ukochany przybywał, ociekając potem, odbywszy długą drogę, a gorzej śmierdzieć naprawdę już nie mógł; jednakże Długa Berta była tak zakochana, że po prostu nic do niej nie docierało i Jonasz dziękował jej za wodę nie tylko spojrzeniem, zważywszy, że nadal nie zamienili ze sobą ani słowa, lecz także rozanieloną miną podczas picia. A Berta, choć bardzo pragnęła go dotknąć, nie śmiała, nie tylko z powodu ojca, lecz także dlatego, iż lękała się pożaru, co ani chybi ogarnie jej ciało. Kiedy widziała chłopca, serce waliło jej tak mocno, aż obawiała się, że może pęknąć. I można było doskonale słyszeć jego bicie, więc by nie wzbudzać niczyich podejrzeń, kiedy czuła, że zaraz może nastąpić cisza, zaczynała nucić pierwszą piosneczkę, jaka jej przyszła na myśl.

A na lekcjach pisania litery przypominały teraz Bercie jej lubieżne pragnienia, P jak pieścić się, N jak nagi, D jak dotykać, S jak skóra, K jak kochać się, L jak lubieżność, S jak seks i CH jak chrapanie, to ostatnie słowo – acz nie należące koniecznie do tych bezwstydnych – dlatego że Amadeusz, w tym strasznym upale, spał tak głęboko, że aż chrapał. I on, któremu tyle uciechy sprawiało bicie w kościelne dzwony, nie miał nawet na to ochoty, je je jestem ba ba bardzo zmę zmę zmęczony, i ojciec Federico, który musiał popychać go aż do samej dzwonnicy, aby jednak zajął się dzwonami, i między jednym uderzeniem a drugim musiał odpoczywać, a kiedy mu przyszło zadzwonić na południe, ach, cóż za męka.

Prócz Juana Quintany, którego karczma przeżywała istne oblężenie, drugim beneficjentem wysokich temperatur stał się tamtejszy kościół pod wezwaniem Różowej Przenajświętszej Panienki z Navidad, zwanej tak ze względu na kolor jej szatek. Nawidyjczycy chronili się w nim, spragnieni odrobiny chłodu, i wielu spośród tych, którzy z rzadka jedynie uczęszczali do kościoła, przekroczyło jego próg po długiej przerwie; od razu prosili ojca Federico, żeby porozmawiał z Najświętszą Panienką, niechże skończy się wreszcie ten upał (ktoś też powiedział, niech przy okazji poprosi Boga, by uciszył jakoś Margaritę Cifuentes). Ojciec Federico nigdy dotąd nie widział takich tłumów w swym kościele, i to w większości mężczyzn, którzy przychodzili szukać jedynie chłodnego kącika i gawędzili o swych sprawach, o pracy, o babach, o wszystkim, tak jakby byli w karczmie Juana Quintany, a ojciec Federico prosił o poszanowanie świętego miejsca, jesteście w domu Bożym, i odpowiadali mu z ironią, to powiedz temu Bogu, żeby nam zesłał nieco chłodu. I choć ojciec Federico wiedział, że nie przychodzili z powodu wiary, czuł się szczęśliwy, widząc po raz pierwszy przepełniony wiernymi kościół; to było jego pierwsze zwycięstwo, od kiedy został księdzem, co miało miejsce troszkę ponad rok wcześniej.

Navidad była pierwszą parafią młodego kapłana. Nawidyjczycy byli nim zachwyceni, nie patrzył bowiem złym okiem na tych, co nie chodzili do kościoła w każdą niedzielę. Inaczej niż poprzedni ksiądz, który przychodził po nich do domów, by ściągnąć ich do kościoła i na nic im się nie zdawała wymówka, że nie wiedzą, która godzina, przecież kościelny zegar nadal nie chodzi, i ochrzaniał ich zawsze podczas kazania, pójdziecie do piekła – wszystko było grzechem, wszystko – bluźnierstwem, i ten wszechobecny diabeł siedział nawet w zupie; cała mowa księdza była tak apokaliptyczna, że niektórzy nawidyjczycy przestali w ogóle nań zważać, i nie słuchali go nawet wówczas, gdy mówił, że pamiętają o Bogu wyłącznie wtedy, gdy czegoś potrzebują, co akurat było całkowicie zgodne z prawdą.

Od kiedy zaczęły się upały, wzrok wszystkich nawidyjczyków kierował się na imiennika ojca Federico, którym był osioł Fryderyk. Należy przyznać, że nadali zwierzęciu to imię, zanim ojciec przybył do Navidad, a nosiło je, ponieważ urodziło się 7 października, w dniu świętego Fryderyka. Zgodnie z legendą, bardzo rozpowszechnioną w całej okolicy, osły potrafiły przepowiadać pogodę. Trzeba było pojechać go kupić aż do stolicy, w Navidad nie było bowiem osłów, przynajmniej tych z królestwa zwierząt; mówiono, że gdy osioł strzyże uszami, oznacza to nadchodzące deszcze; jeżeli ryczy – to na zimno, a kiedy się tarza po ziemi – to na dobrą pogodę. Wszyscy patrzyli na osła Fryderyka – w oczekiwaniu, że zaryczy albo zastrzyże uszami – chcąc się dowiedzieć, czy będzie pogorszenie pogody, ale nic z tego, oślisko spędzało całe dnie tarzając się, a ponieważ nie padało od tak dawna, wzbijało wielką chmurę kurzu, a może ta chmura przyniesie nam deszcz. Jednak temperatura wciąż rosła i doszło do tego, że ktoś widział, jak Różowa Panienka uroniła parę kropel potu, a jakiś bezwstydnik nawet chciał jej zdjąć różową sukienkę, niechby miała troszkę ulgi, biedaczka, przecież ten upał nas zabije, ileż jeszcze będziemy musieli go znosić.

I tak było, dopóki jedno wydarzenie nie zmieniło biegu historii: któregoś ranka Jonasz zdecydował się ponownie dotknąć swej ukochanej. Kiedy wręczył pocztę, usłyszał, jak Juan Quintana mówi, że idzie do łazienki. Wychodząc z karczmy, rozejrzał się, czy jest ktoś w pobliżu i złapał za rękę Bertę, która poczuła ogień i prąd elektryczny, i iskry, i proch. Cała ta pirotechnika trwała jednak tylko ułamki sekund, gdyż łazienka była zajęta przez Robertę Anayę, a Juan Quintana zajrzał na ganek i zobaczył ich razem. Jonasz odskoczył od Berty i uciekł pędem. Ojciec, bardzo zagniewany, spojrzał na córkę, podejrzewając wszystko co najgorsze. Piętnaście razy Berta musiała mu przysięgać, że między nimi do niczego nie doszło. W rzeczy samej Juan Quintana nie widział, żeby się dotykali albo rozmawiali, ale na wszelki wypadek postanowił, że Berta nie będzie już pracowała w karczmie, przynajmniej przez jakiś czas, poza tym ostatnio chodziła jak błędna, i z tego upału i oszołomienia niewiele udawało jej się zamieść.

Kiedy powiedział o tym Bercie, zachciało jej się płakać na myśl, że nie będzie mogła widywać swego ukochanego, lecz powstrzymała się, by nie wzbudzać podejrzeń Juana Quintany. Bez słowa wyszła z karczmy i zamknęła się w swym pokoju. Po raz pierwszy w życiu nienawidziła ojca, to przez niego nie zobaczy już ukochanego, i była tak na niego wściekła, że na parę chwil zapomniała o Jonaszu.

I dokładnie w tej chwili, gdy Berta wpadła w furię, niebo pokryły burzowe chmury, które walczyły, by zdobyć sobie miejsce na nieboskłonie. A w tym samym czasie Juan Quintana sprawdzał, czy imię jego córki znajduje się na drzewie zakochanych. I uradował się podwójnie. Najpierw dlatego, że imię Berty nigdzie nie figurowało, po wtóre z powodu chmur, które przyniosły cudowny podmuch świeżego chłodu. I podobnie jak Juan Quintana, nawidyjczycy, którzy od tak dawna nie widzieli chmur, gapili się na nie z rozdziawionymi gębami, jak w dniu narodzin Berty, kiedy ukazała się Tęcza.

Tego wieczoru Długa Berta zasnęła, myśląc o ojcu, o tym, co jej zrobił i jak strasznie go nienawidzi. Kiedy Juan Quintana wszedł do pokoju córki, by jej powiedzieć dobranoc, odwróciła od niego twarz i musiała bardzo się postarać, by nie zacząć płakać.

Rankiem Berta nie mogła już się powstrzymać: obudziła się zapłakana, nie mogła znieść myśli, że nie zobaczy ukochanego. Roberta Anaya, cała w euforii, weszła do jej pokoju i powiedziała, żeby wstała i popatrzyła na deszcz, który na pewno lada moment zacznie padać. Niebo było czarne, a chmury przypominały olbrzymie głazy. Berta odwróciła się plecami, kogóż może obchodzić ten deszcz, nie chciała widzieć nikogo prócz Jonasza. Matka musiała wyciągnąć ją z łóżka i zmusić, by się ubrała. Cała wioska wyległa na ulicę, by powitać deszcz. Po tak długim okresie suszy cóż to za wydarzenie dla wszystkich.

Długa Berta pierwsza poczuła kroplę deszczu, gdyż była najwyższa i znajdowała się najbliżej nieba, a po niej wszyscy doznali dobrodziejstwa wody odświeżającej ich ciała, krople miały smak chwały, a dzieci krzyczały z radości, biegając w deszczu, nawet psy jakoś przesadnie machały ogonami. Odezwały się również kościelne dzwony, Amadeusz Głuptak ciągnął z całej siły za sznur, gwiżdżąc jednocześnie jak opętany, aż ojciec Federico musiał go uspokajać, jeszcze ci dzwon spadnie na łeb. A Juan Quintana był tak kontent, że pozwolił dzieciom dzwonić dzwoneczkiem w karczmie.

Co się zaś tyczy Pedra Ślepca, ucieszył się przede wszystkim jego nos, a ponadto, jako że miał również niezwykle wyczulony zmysł dotyku, kiedy pierwsza kropla ułożyła się na jego ciele, poczuł bezbrzeżną rozkosz, całkiem jakby pieściła go najbardziej zmysłowa kobieta świata. Niewiele zatem brakowało, by popadł w ekscytację, a nawet przypomniał sobie, że ma rozpięty rozporek. Była to jedyna znana okazja, gdy go sobie zapiął, choć nikt go o to nie prosił.

Osioł Fryderyk przestał się tarzać wcale nie dlatego, że kończyła się dobra pogoda, lecz dlatego, że ziemia nasiąkła błyskawicznie wodą, a on wody nie lubił, i rzeczywiście zaczął strzyc uszami, co było znakiem, że pada, uczynił to jednak tylko w tym celu, by strząsnąć z siebie wodę, która na niego spadła, i zaraz zaczął znów się tarzać, co mogło oznaczać albo że osioł jest zapóźniony, albo że jest tak samo przewidujący jak którykolwiek z nawidyjczyków.

Korzystając z tego, że Juan Quintana, podobnie jak wszyscy, był w znakomitym humorze, Długa Berta złapała miotłę i zabrała się do zamiatania ganku. Była pewna, że jej ojciec zapomniał o incydencie z Jonaszem z poprzedniego dnia. Jednak tak nie było. Juan Quintana powiedział córce, że nie chce jej widzieć w karczmie. Na nic się nie zdały jej protesty, a nawet interwencja Roberty Anai. Berta ponownie zamknęła się w swym pokoju, gdzie czuła się strasznie nieszczęśliwa; płakała, nie chciała nikogo widzieć, nawet matki; i tak rozpływała się we łzach aż do następnego dnia, a była to środa.

Przez okno mogła widzieć, jak listonosz zbliżał się do karczmy w strugach deszczu. I to oglądanie go z daleka, zasmuciło ją jeszcze bardziej. Zaczęła wówczas płakać jeszcze rzewniej, nigdy dotąd nie było jej tak smutno. Roberta Anaya próbowała ją pocieszyć, lecz jej się to nie udało, a Berta ubłagała ją, by nic nie mówiła ojcu. Za każdym razem, gdy Juan Quintana wchodził do jej pokoju, chowała głowę pod poduszkę, żeby nie widział łez, i prosiła go, by wyszedł, usprawiedliwiając się bólem głowy. Juan Quintana, który nie mógł znieść cierpienia córki, pocieszał się, myśląc, że przynajmniej wyleczyła się z obstrukcji, jako że jej wizyty w toalecie stały się teraz krótsze.

Od chwili gdy Berta poczuła się taka smutna, coraz bardziej padało w Navidad, i nie zmieniło się to przez długie tygodnie, a niebo było tak czarne jak pierwszego dnia; nawet najstarsi mieszkańcy nie pamiętali, żeby kiedykolwiek widzieli coś takiego i teraz zadawali sobie pytanie, gdzie też się podział błękit nieba, błękit, co stał się dla nich kolorem nadziei. I niebo było czarne tak długo, że niejeden zapomniał już, jaką kiedyś miało barwę; coś takiego nigdy nie przydarzyłoby się Długiej Bercie, wystarczyło bowiem, by zamknęła oczy i wyobraziła sobie błękitne spojrzenie swego ukochanego.

A woda, lejąca się z nieba bez miłosierdzia, pomału zatapiała wszystko, najpierw ulice, potem domy, pola, stodoły. Nawidyjczykom dni upływały na napełnianiu kubłów wodą i opróżnianiu ich; nawet podczas tych krótkich godzin, gdy spali, śniło im się, że nadal napełniają wodą kubły i je opróżniają. Budzili się, mając nadzieję, iż to wszystko jest snem. Padało jednak nadal. Kobiety, zrozpaczone i bezradne, patrzyły, jak niebo zabierało ich domy, ich życie, ten ubożuchny majątek, i poczęły tak strasznie płakać, aż zachodziła obawa, że przez te łzy powódź stanie się jeszcze groźniejsza.

Dzieci, które już miały dość spędzania całych dni w zamknięciu, także chciały być pomocne; dmuchały ze wszystkich sił w niebo, a nuż uda im się rozpędzić chmury. Pedro Ślepiec również uparł się, że będzie pomagał, jednakże ze swą ślepotą i niezgułowatością robił więcej zamętu, niż pomagał, napełniał bowiem kubły i opróżniał je w tym samym miejscu; daremnie próbowali mu wskazać, gdzie ma wylewać wodę, nieważny czyn, ważny szlachetny zamiar.

Także ojciec Federico, odprawiwszy modły, spieszył z pomocą najbardziej potrzebującym, uwijał się jak wszyscy, a ponieważ habit nasiąkał wodą, podkasywał go, a niektórzy poczuli się zgorszeni, widząc jego nogi, które naturalnie były wielkiej urody, lecz nic nie powiedzieli, bo pomoc ojca, podobnie jak wszystkich, była absolutnie niezbędna.

Amadeusz Głuptak zachował się w owych dniach jak prawdziwy mężczyzna. Ze swą krzepą mógł zastąpić trzech osiłków; pomagał przenosić meble, które ładował sobie na plecy bez niczyjej pomocy, choć niektóre rozwalały mu się po drodze, pieczołowitości nie miał bowiem za grosz. I jego matka, Remedios, po raz pierwszy poczuła się z niego dumna, gdyż wszyscy gratulowali mu i dziękowali za wielką pomoc, jaką im okazał, i nawet jego ojciec Alberto Cukiernik, który dotąd zawsze się wypierał syna, teraz się nim chlubił.

W miarę jak woda zatapiała domy, całe rodziny musiały szukać schronienia na górnych piętrach. Wszędzie dniem i nocą słychać było symfonię kapiących kropel, owa kapanina nie ustawała, stała się obsesją dla wielu nawidyjczyków, którzy zatykali sobie uszy, a pomimo to nadal ją słyszeli i zaczynali już myśleć, że zbzikowali. Zwierzęta też trzeba było przenieść na górne piętra, bo woda sięgała już ponad pół metra ponad ziemię, a Józef Cieśla zbudował tratwę, łącząc mnóstwo drewnianych listewek; przemieszczał się nią z jednego końca wioski na drugi. I ponieważ wielu pragnęło go naśladować, musiał zbudować inne tratwy, i Navidad wyglądała jak Wenecja, ale taka ubożuchna.

Podobnie jak sąsiedzi Juan Quintana przeniósł meble na piętro, również barową ladę i wszystkie butelki, i meble kuchenne, i rondle, i nogę pradziadka, na wszelki wypadek, i musiał przechować sprzęty tych sąsiadów, którzy nie mieli piętra w swym domu. Dni spędzał na wylewaniu wody, wieczorem padał wyczerpany na łóżko i natychmiast zasypiał. Musiał być naprawdę zmordowany, skoro nawet nie miał siły pójść do pokoju Długiej Berty i powiedzieć jej dobranoc, ani ssać lewej piersi żony. Nie umknęło jednak jego uwadze, że nie było sposobu, by wyciągnąć Bertę z pokoju, zatem Juan Quintana ponownie powziął podejrzenie, że jego córka jest zakochana, był jednak zbyt zajęty w karczmie, a ponadto w taki deszcz niepodobieństwem byłoby pójść pod drzewo zakochanych.

W parę dni po potopie wioska została odcięta przez wodę; szosa łącząca Navidad z Ponsą była bardziej podobna do rzeki niż do czegokolwiek innego. Przestała również przychodzić poczta, a tym samym przestał pojawiać się Jonasz.

Bertę Quintanę bolało serce, bolała odległość dzieląca ją od ukochanego, bolała głowa od ciągłego myślenia o nim; była chora z miłości. Jedynie ona wiedziała, że jej ból był nieporównanie większy niż całej wioski. Już od ponad dwóch tygodni nie widziała ukochanego i myślała, że umrze z miłości; serce jej drżało z niepokoju, a może w Ponsie padało jeszcze bardziej, a może Jonasz utonął. Juan Quintana, który zaczynał się poważnie niepokoić o swą córkę, powiedział jej, że jeżeli tak bardzo tego pragnie, może znów zacząć pracować w karczmie, było już jednak za późno. Bez Jonasza świat był dla niej pozbawiony sensu. A poza tym karczma znajdowała się pod wodą.

Musiała go zobaczyć; trzy razy próbowała uciec. Pierwszy raz nocą, korzystając z tego, że rodzice spali: porwała świecę, by przyświecać sobie w drodze, woda sięgała jej do kolan, prawie nie mogła posuwać się do przodu, a do tego te ciemności, aż potknęła się i upadła ze świecą w ręce. Nic nie było widać; ujrzawszy, że wszystko jest tak czarne, dała spokój. Wróciła do domu całkowicie przemoknięta i poszła prościutko do swego pokoju, bacząc, by rodzice jej nie zobaczyli, położyła się do łóżka taka mokra, i jedynie cudem nie dostała zapalenia płuc. Próbowała też uciec za dnia: dotarła do opłotków wioski, potknęła się mnóstwo razy i znów upadła na ulicy, mokra od stóp do głów. Jeden z sąsiadów zawiadomił Juana Quintanę, że jego córka zamierza uciec z wioski, i ojciec wybiegł za nią. Wsiadł na drewnianą tratwę, którą zbudował mu Józef Cieśla, i wiosłując po ulicy-rzece ramionami zamiast wioseł, dogonił córkę. Juan Quintana był okropnie wściekły, a Berta powiedziała mu, że nie może wytrzymać zamknięta całe dnie w domu, jeszcze tylko ciebie mi tu brakowało i twoich idiotyzmów.

Kolejny raz spróbowała uciec następnego dnia, lecz ojciec znów ją dogonił; tracił już cierpliwość, a tu jeszcze Berta zaczyna mu płakać przed nosem, nie przejmując się wcale, czy ją widzi, czy nie; mało brakowało, a byłaby mu powiedziała, że nie może żyć bez ukochanego, lecz Juan Quintana myślał jedynie o przeklętej karczmie, a Berta przekląwszy karczmę, próbowała wyrwać się ojcu i uciec. Wówczas Juan Quintana przytrzymał ją z całej siły, czy można wiedzieć, co się z tobą dzieje, a Berta zaczęła go tłuc ze straszną wściekłością. Juan Quintana nie rozumiał, co się dzieje z córką, musiał wymierzyć jej policzek, by ją uspokoić, i aż skamieniał, gdy to uczynił, nigdy dotąd bowiem jej nie uderzył. Berta również skamieniała i po raz drugi w swym życiu poczuła do ojca nienawiść, lecz tym razem mu to powiedziała: nienawidzę cię, nienawidzę. Juan Quintana przeżył jedną z większych przykrości w życiu, słysząc coś takiego z ust córki, którą tak bardzo kochał.

Tym razem postanowił ją zamknąć. W dodatku w spiżarni, gdyż pokój małej był zawalony krzesłami, stołami i innymi gratami, które przywędrowały z karczmy, a ponadto znajdowało się tam okno, przez które mogłaby uciec. Juan Quintana był zdruzgotany tym, że uderzył Bertę, tym, że ją zamknął, on, który tak bardzo ją kochał; a tu jeszcze do tego Roberta Anaya broniąca swej córki, lecz Juan Quintana był nieprzejednany, same zmartwienia z tą małą, i już miał dość opowiadania, że dziewczynka jest w bardzo trudnym wieku.

Teraz, zamknięta w spiżarni o powierzchni niewiele większej niż dwa metry kwadratowe, Berta czuła się najnieszczęśliwszą kobietą na świecie. Pomyślała o samobójstwie, nie mogła żyć bez ukochanego, a tu w dodatku ten ojciec: nienawidziła go ze wszech sił, a ponadto przecież ją uderzył. Próbowała rozerwać się, oglądając to, co znajdowało się dookoła, ale tak było jeszcze gorzej: czuła się bardziej nieszczęśliwa niż pomidory, włoskie orzechy, kiełbasa *chorizo*, ziemniaki, cebula, migdały i wszystko, co tylko leżało w przeklętej spiżarni.

I podczas gdy wylewała łzy miłości, niebo nadal płakało milionami niebiańskich łez. Padającej z nieba wody było tak wiele, że nawidyjczycy obawiali się o swe życie, niektórzy sądzili nawet, że to na pewno urok rzucony na nich przez mieszkańców Ponsy, albo że niebo się na nich gniewa, i pytali jedni drugich, jakie też przestępstwo popełnili. Inni sądzili, że to przejaw przysłowiowego gniewu Bożego, a nuż okaże się, że poprzedni proboszcz miał rację; w obawie, że świat cały zniknie pod wodą, niejeden proponował, by zbudować wielką arkę, taką, jak kiedyś pobudował Noe, i uratować po dwoje zwierząt, samca i samicę każdego gatunku, co byłoby dość absurdalne, mieli bowiem jedynie świnie, psy, owce, krowy i kury, i osła Fryderyka, w dodatku pozbawionego pary, który tarzał się już od wielu dni, co było kolejnym oczywistym dowodem na to, że osioł jest walnięty, bo wedle tego, jak mawiano, kiedy osły się tarzają, oznacza to, że nadchodzi dobra pogoda, a nigdy nie było gorszej w Navidad.

A Długa Berta odkryła, że jedyną rzeczą przynoszącą ulgę jej znękanemu sercu jest jedzenie, i między jedną łzą a drugą pożarła wszystko, co było w spiżarni, czyli niemało, bo przecież była to spiżarnia karczmy. W ten sposób utyła trzy kilogramy podczas tygodnia i po raz pierwszy skosztowała whisky, którą naturalnie uznała za wyjątkowe paskudztwo; musiała uderzyć jej do głowy, gdyż zaczęła histerycznie chichotać, potem od śmiechu przeszła do szlochu; zjadła również cynamonowe cukierki, które znalazła w słoju, nie wiedząc oczywście, że cynamon jest afrodyzjakiem; w ten sposób rozbudził się w niej apetyt seksualny i zapragnęła całować swego ukochanego, dotykać go, kochać, a jej pożądanie było bez porównania silniejsze niż podczas upałów. Poczuła nawet chęć, by schrupać Jonasza całego, zupełnie jakby była kobietą-kanibalem, z pewnością jego mięsko jest pyszniejsze od najwspanialszego dania świata – i oblizała się smakowicie, myśląc, jak apetyczne byłyby jego uda, ramiona, nos, o Boże kochany, ja przecież zbzikowałam.

Wtedy ujrzała mrówkę, coś niesłychanie dziwnego w tym czasie, zdawało się bowiem, że wszystkie małe stworzonka utonęły w deszczu. Mrówka bez wątpienia szukała pożywienia i w innych okolicznościach Berta byłaby ją zabiła, teraz jednak nie mogła, bo czuła się tak osamotniona i nieszczęśliwa jak ona, dlaczegóż ten świat jest tak niesprawiedliwy.

Juan Quintana bardzo żałował tego, co zrobił swej córce, lecz dziewczyna nie dała mu przecież szansy, w dodatku nie chciała o nim słyszeć, więc prawie co godzinę wysyłał Robertę Anayę, by poszła sprawdzić, jak się mała miewa, i tak był zdruzgotany, że prawie go nie wzruszało, iż karczma już nieomal znikła pod wodą, jedyne, czego pragnął, to odzyskać miłość córki, i pomimo przeogromnego zmęczenia nie mógł spać nocami. Nawet Roberta Anaya zorientowała się, jak fatalnie czuje się jej małżonek, i chciała przemówić Bercie do rozsądku, musisz wybaczyć tatusiowi, wtedy na pewno pozwoli ci wyjść ze spiżarni, lecz córka czuła się zraniona i nie chciała mu wybaczyć. Mogła myśleć jedynie o Jonaszu i poprosiła matkę, by dała jej miłosne listy ukochanego; teraz, kiedy tylko nie jadła, czytała listy Jonasza, raz i drugi, i łza spadła na jeden z nich, i atrament się rozpuścił, i stał się błękitną łzą, tak błękitną jak oczy Jonasza. W swym zamknięciu Berta naprawdę już wariowała, teraz znów zaczęła liczyć łzy, naliczyła w godzinę ponad tysiąc dwieście dziewięćdziesiąt pięć i, nie zdając sobie z tego sprawy, zaczęła mówić na cały głos kocham cię, Jonaszu, nie mogę bez ciebie żyć, jeżeli cię nie ujrzę, wolę umrzeć, i tak zobaczyła, jak jedna z jej łez upadła na mrówkę, maleńkie zwierzątko walczyło zażarcie z kroplą, by nie utonąć; zbliżyła palec do mrówki, pragnąc ją uratować, i zgniotła ją niechcący, jakże niesprawiedliwe jest to życie.

Kościół w Navidad i Różowa Przenajświętsza Panienka stały się ostatnią nadzieją dla nawidyjczyków. Bogu dzięki, ktoś okrył figurkę folią, i pomimo niezliczonych zawilgoceń w całym kościele, Różowa Panienka królowała w swym domu z należytą godnością. Mężczyźni i kobiety prosili Ją z wiarą, którą wielu odzyskało dzięki przedziwnej meteorologii ostatnich dni, aby, na Boga i za wstawiennictwem Wszystkich Świętych, przestało wreszcie padać. Deszcz nie uszanował nawet Domu Bożego, który także stopniowo znikał pod wodą, bardziej przeklętą niż błogosławioną, i wszyscy się modlili: i bądź wola Twoja jako w niebie tak i na ziemi, i powtarzali z emfazą jako w NIEBIE tak i na ziemi. I nie ma tego złego, co by na dobre nie wyszło: Margarita Cifuentes spędzała całe dnie w kościele na modlitwie, i alkad Feliciano zwany Świętym przynajmniej mógł odetchnąć parę dni od jej słowotoku. Najwięcej jednak modliła się w tych dniach stara Inés, która teraz mieszkała w maleńkim domku tuż obok kościoła, mieszkał tam również ojciec Federico, a ona była jego gosposią. Mimo że Pan Bóg, w którego tak mocno wierzyła, zabrał jej męża i trzech synów w jakimś przeklętym pożarze, była najbardziej wierzącą niewiastą w wiosce; większość nawidyjczyków nie mogła pojąć, jak to możliwe, by po tym wszystkim nadal zachować wiarę.

Berta już nie mogła dłużej wytrzymać: albo skończy się deszcz, albo deszcz skończy z nią, i prosiła Boga z większą mocą niż ktokolwiek, by przestało padać, a ona w zamian zrobi wszystko, co On zechce. Czyniła to jednak, jedząc kolejnego cynamonowego cukierka, i znów naszła ją chęć, by się kochać ze swym umiłowanym, i poczuła straszne wyrzuty sumienia, bo myślała również o Bogu i wiedziała, że Jemu się to nie podoba. To wtedy właśnie Długiej Bercie przyszło do głowy, że złoży ślubowanie, aby w zamian za to przestało wreszcie padać, a było ono następujące: pozostanie dziewicą, póki Jonasz i ona nie zostaną małżeństwem, przyrzekam Ci to, mój Boże. I podczas gdy je składała, rozświetlił ją promień nadziei. Po tak długim czasie smutku na jej twarzy zagościł nieśmiały uśmiech.

Tego samego dnia stara Inés, wyczerpana długimi modłami, także złożyła ślubowanie Różowej Przenajświętszej Panience z Navidad w imieniu wszystkich mieszkańców. Jeżeli przestanie padać, będą ubierać się przez cały rok na różowo, na znak wdzięczności. Wszyscy przyklasnęli jej pomysłowi, gdyż tak jak stali, gotowi byli uczynić wszystko, żeby tylko deszcz ustał.

Nagle promień słońca wychynął zza chmur. Na ten widok wszyscy stanęli jak oślepieni. Chmury poczęły się rozpraszać w sposób iście magiczny i nawet Margarita Cifuentes zaniemówiła; było to nieomylnym znakiem, że oto właśnie ma miejsce coś niezwykłego. Tak się też stało, deszcz słabł, aż parę godzin później całkiem ustał, nie wiadomo, czy bardziej dzięki ślubowaniu starowinki, ślubowaniu Berty, czy z samej natury, która, jak wiemy, bywa kapryśna.

I słońce rozbłysło znowu w królestwie niebios. Nawidyjczycy patrzyli na nie z takim samym wyrazem twarzy, z jakim spoglądaliby na Boga samego, wybiegli na ulicę i świętowali jego pojawienie się aż do świtu, nieświadomi tego, że życie ich zmienić się miało niebawem całkowicie. Wszyscy się ściskali, wszyscy bardzo się kochali. Niektórzy klękali na mokrej jeszcze ziemi i spoglądając ku niebiosom, dzięki składali za otrzymaną łaskę. Starej Inés wszyscy dziękowali, imię jej wyśpiewywano chórem, jej wiara ich uratowała. W tym czasie Pedro Ślepiec mówił, że ujrzał właśnie światło słońca, choć nikt mu nie wierzył, a kiedy kobiety go ściskały, łapa mu gdzieś uciekała, więc mówiły mu: nie bądź bezwstydnikiem i odsuwały się od niego; bądź tak uprzejmy zapiąć ten rozporek.

Długa Berta słyszała ze swego więzienia, jak deszcz przestaje padać, docierały do niej również krzyki radości sąsiadów, i spojrzała w niebo, by złożyć dziękczynienie Bogu, który usłyszał jej ślubowanie. Wówczas otwarły się drzwi maleńkiego pokoiku i pojawił się tam Juan Quintana. Ojciec i córka spojrzeli sobie w oczy. Złączyli się w długim, przepojonym miłością uścisku i poprosili się nawzajem o wybaczenie, kocham cię, córeczko, ja też cię kocham, a Roberta Anaya patrzyła na nich wzruszona, wiedziała przecież, jak bardzo się kochali. I rodzina Quintana, znów połączona, wyszła na ulicę, gdzie cała wioska nadal celebrowała święto.

Berta spojrzała wzruszona na błękitne niebo, to był błękit oczu Jonasza, gdzie jesteś, Jonaszu. Choć wszyscy mówili, że przestało padać dzięki ślubowaniu, jakie złożyła Przenajświętszej Panience stara Inés, Berta wiedziała, że stało się to dzięki jej ślubowaniu, i znów pomyślała o ukochanym.

Amadeusz Głuptak czuł się nieskończenie szczęśliwy, nigdy bowiem nie odnoszono się do niego z taką czułością. Wszyscy byli mu wdzięczni za wielką pomoc, jaką okazał podczas powodzi, a on tak był wzruszony, że nawet nie mógł mówić; bełkotał jakieś słowa, których nikt nie rozumiał, lecz które bez wątpienia wyrażały radość, a tym, co najbardziej mu się spodobało, były całusy mnóstwa dziewcząt, które normalnie odwracały się od niego ze wstrętem. Jednak tego dnia najbardziej uszczęśliwił go uścisk Alberta Cukiernika, po raz pierwszy w życiu czuł ojcowskie ciepło. To samo przytrafiło się Albertowi Cukiernikowi, który po raz pierwszy poczuł ciepło ciała własnego syna. I oto on, który cały dzień spędzał przy pracy, by nie musieć nikogo widywać, tego dnia odprężył się i przyłączył do radości całej wioski.

Nawet ojciec Federico ściskał niewiasty tak mocno i radośnie, że we wszelakich innych okolicznościach wzbudziłoby to szemrania najgorliwszych wiernych. A niektóre kobiety zawstydziły się na myśl o tym, że jedyne, czego można by żałować, skoro deszcz przestanie padać, to iż nie zobaczą już nigdy jego nóg, co tak piękne były. I Józef Cieśla, który od dnia śmierci swej córki Gracji nie przestąpił progu kościoła, nawet w najgorętsze dni, poszedł podziękować Bogu i Przenajświętszej Różowej Panience z Navidad, nie pojednał się jednak ze swym ekskrewnym, świętym Józefem, co to, to nie.

I choć większość nawidyjczyków straciła swe plony, domy, meble, sklepy, spichrze, ten ubożuchny majątek, jaki posiadali, ów dzień, gdy deszcz przestał padać, był najszczęśliwszym w ich życiu.

Amadeusz Głuptak dzwonił w kościele jak oszalały z radości i z taką siłą ciągnął za sznury, aż obtarł sobie ręce do krwi, a ojciec Federico musiał wyciągnąć go z dzwonnicy, lecz Amadeusz nie poczuł nawet bólu w poranionych dłoniach, tego dnia bowiem nawidyjczycy mogli czuć jedynie radość. Z wyjątkiem osła Fryderyka, który, naturalnie, łaził jak mu się podobało; teraz właśnie potrząsał uszami, wróżąc złą pogodę, kiedy akurat pięknie było jak nigdy dotąd. Jasne, że Navidad nie była miejscem, w którym legendy stawały się rzeczywistością: od tej o ośle, który niczego nie przepowiadał, do tej o Tęczy, o której lepiej nawet nie wspominać, wszystko to było widać jak na dłoni. Całe szczęście, że ślubowania odniosły skutek.

Juan Quintana, teraz gdy pojednał się córką, czuł się najszczęśliwszym człowiekiem na świecie; prócz tego, że pozwolił dzieciom dzwonić dzwoneczkiem, zaprosił do karczmy wszystkich mieszkańców Navidad, czego nie uczynił nawet w dniu swego wesela, i wszyscy wypili po jednym, wyjąwszy Pedra

Ślepca, który wypił trzy: jednego, który należał mu się każdego dnia, jednego od święta, i jednego, którego strącił na ziemię z powodu znanej wszystkim niezgrabności; ożywiony alkoholem, zaczął znów opowiadać, że widzi kolory, ale nikt na niego nie zważał, bo powiedział, że Juan Quintana ma na sobie czarną koszulę, a Józef Cieśla niebieską, i nie utrafił, gdyż obie były białe. Nawet ojciec Federico wypił szklaneczkę wina, by uczcić święto, i musiało uderzyć mu do głowy, bo chciał znów całować wszystkie kobiety, jakie tylko znalazły się w karczmie, jasne, że księża też nie są z kamienia.

Po raz pierwszy Berta zobaczyła, jak jej ojciec całuje matkę w usta; uśmiechnęła się i zamknęła oczy, i wyobraziła sobie siebie samą całującą Jonasza. I kiedy rodzice położyli się spać, Roberta Anaya czuła się tak szczęśliwa, że pozwoliła Juanowi Quintanie ssać lewą pierś, choć to wcale nie była niedziela ani święto obowiązkowe; prawdą jednak było, że miał do nadrobienia bardzo wiele dni.

Alkad Feliciano zwany Świętym był najostrożniejszy ze wszystkich. Przede wszystkim dlatego, że wioska była doszczętnie zniszczona przez deszcze, i cóż my teraz poczniemy, znów wszystko od nowa. Po drugie dlatego, że Margarita w euforii gadała więcej niż zwykle i tak szybko, że prawie nie można jej było zrozumieć: Wkońcuprzestałopadać,jużniemogłowięcej,alecóżmynatoporadzimy,trzebabędziecieżkopracować,alejakośztegowyjdziemy.ZobaczyszFeliciano,jaciwewszystkimpomogę,pamiętaj,żeśmysobieślubowalinadobreinazłe, bla, bla.

Tej nocy wiele par musiało się kochać, gdyż dziewięć miesięcy później przyszło na świat czworo dzieci, nigdy dotąd coś takiego nie zdarzyło się w Navidad; troje z nich to były dziewczynki, wszystkie trzy ochrzczono imieniem Róża dla uczczenia Różowej Panienki, ktoś zaproponował, żeby chłopczyka nazwać Federico, bo przecież ksiądz tak wiele im pomógł. Lecz rodzice pomyśleli, że nie chcą, by ich syn nazywał się tak samo jak osioł, który już pokazał, że jest osłem nad osły, koniec końców postanowili dać mu imię Makary.

Długa Berta tej nocy nie mogła zasnąć, zastanawiając się, czy Jonasz żyje. Juan Quintana poszedł do pokoju córki, by powiedzieć jej dobranoc, usiadł obok niej, pogładził ją po włosach i powiedział, jak bardzo ją kocha; musiał zauważyć, że dziewczyna była smutna, więc spytał, co się z nią dzieje, a ona odpowiedziała mu, że nic takiego. Nie mogła opowiedzieć ojcu, że jest zakochana: miłość do Jonasza rozdzieliła ich na dobre. Tej nocy Długa Berta poprosiła ojca, by pozwolił jej znów pracować w karczmie. Teraz, gdy na nowo byli pojednani, Juan Quintana powiedział, że tak, za nic w świecie nie chciałby zrobić czegoś, co nie spodobałoby się jego córce. Berta przytuliła się do niego: jesteś najwspanialszym ojcem na świecie. Juan Quintana poczuł się nieskończenie szczęśliwy i ponadto dumny, że jego córka tak lubi pracować w karczmie: owo obsesyjne zamiłowanie do utrzymywania ganku w czystości miało na celu przyciągnięcie większej liczby klientów; to bez wątpienia odziedziczyła po nim.

Deszcz liter nad

Navidad

Nazajutrz wielu spośród nawidyjczyków obudziło się z myślą, że im się przyśniło, iż przestało padać, lecz wyszli na ulicę, a niebo nadal było błękitne, królowało na nim promienne słońce. Pierwszym, co uczynili, jeszcze umęczeni kacem po wczorajszych swawolach, była zbiórka pieniędzy, w której jak nigdy dotąd wszyscy wzięli udział na miarę swoich możliwości. Jedynie Alberto Cukiernik zaprotestował, twierdząc, że ślubowanie było czymś idiotycznym, widząc jednak złe miny sąsiadów, wolał zamilknąć. Wielu mężczyzn udało się do stolicy, by kupić całe kilometry różowego materiału. Nabyli również różową farbkę, by ufarbować buty i ubrania ze skóry, w takich ilościach, że sklepikarze patrzyli na nawidyjczyków ze zdumieniem, ci bowiem nie chcieli nic im wyjaśnić.

I podczas gdy Navidad przygotowywała się do dopełnienia swego ślubowania, Długa Berta ruszyła ku drodze wjazdowej do wioski, w oczekiwaniu na Jonasza, i schowała się za drzewami, by nikt jej nie zobaczył, i teraz sekundy zdawały się jej godzinami, a godziny wiekami, a jeśli Jonasz nie przyjedzie, a jeśli utonął. Lecz Jonasz przyjechał, a droga musiała być okropnie niedobra, gdyż rower był kompletnie ubłocony; chłopiec miał ponad dwie godziny spóźnienia. Kiedy Berta usłyszała, że Jonasz nadjeżdża, wyszła ze swej kryjówki, a serce jej biło z taką mocą, iż było je słychać bardziej niż kroki, kiedy zbliżała się ku chłopcu, i spojrzeli na siebie.

Dzięki deszczowi, który przez tyle tygodni ich rozdzielał, czuli większą bliskość niż kiedykolwiek i odezwali się do siebie po raz pierwszy. Tyle rzeczy mieli sobie do powiedzenia, tyle miłości, którą pragnęli się podzielić. To Berta odezwała się pierwsza, była tak zdenerwowana, że nie mogła słowa wymówić, coś tam bełkotała, nawet Amadeusz Głuptak wyrażałby się ładniej. I powiedziała do niego ko ko ko kocham ć ć ć cię. To samo przydarzyło się Jonaszowi, który jej odpowiedział tak samo ko ko ko kocham ć ć ć cię.

Aby nikt ich nie zobaczył, Berta wzięła Jonasza za rękę i zaprowadziła go do Niebiańskiego Zakątka. Płomień, jaki poczułaby dawniej, dotykając ukochanego, przemienił się w miłość tak czystą jak ślubowanie, które złożyła. Jonasz zbliżył się do niej, przytulił ją, ucałował z całej siły, i było cudownie. Ten pocałunek trwał jednak zaledwie króciutką chwilę, gdyż Długa Berta, pomna swego ślubowania, odsunęła się szybciutko. Jonasz nie rozumiał postępowania dziewczyny, która w dodatku nagle posmutniała; ujrzał, jak unosi dłonie do twarzy. Wybacz, rzekła Berta, która na szczęście odzyskała mowę i mogła mu opowiedzieć o złożonym ślubowaniu, a Jonasz, który tego dnia czuł się nieskończenie szczęśliwy tylko dlatego, że ją widzi, odrzekł, że je wypełnią, tak samo zgodziłby się na wszystko, wystarczało mu, że ma ją obok siebie. Berta, słuchając go, poczuła się strasznie z niego dumna, i aby mu podziękować za to zrozumienie, uściskała go ponownie, i znów odsunęła się od niego z szybkością błyskawicy; powiedziała, że jak tylko osiągnie pełnoletność, będą mogli się pobrać. Co prawda Jonasz czuł się odrobinkę rozczarowany, lecz jak wiadomo, nic nie jest doskonałe, nawet sama miłość. Spacerowali, trzymając się za ręce, i Jonasz opowiadał jej, że w Ponsie też długo padało, choć nie tyle, co w Navidad, i że wiele razy próbował się do niej wybrać, lecz było to niemożliwe, bo szosa bardziej przypominała rzekę niż cokolwiek innego; powiedział jeszcze, że on, Jonasz, także pragnął umrzeć. Lecz oto teraz byli żywi, bardziej żywi niż kiedykolwiek, kochali się i mieli przed sobą całe życie.

Zaraz po spotkaniu Berta popędziła do karczmy. Przybyła bardzo późno, ale na szczęście Juan Quintana pojechał z innymi mężczyznami do stolicy, żeby kupić farby i różowy materiał. Zanim zabrała się do zamiatania, podbiegła do matki i przytuliła się do niej, mówiąc, jesteś najlepszą mateczką na świecie. Roberta zrozumiała: Berta spotkała się właśnie z Jonaszem. W parę godzin Berta z najnieszczęśliwszej kobiety pod słońcem przeistoczyła się w najszczęśliwszą w całym wszechświecie, jak pięknie jest żyć, jak cudownie jest zamiatać. Jonasz w chwilę potem poszedł zanieść pocztę i ujrzawszy wioskę, był wstrząśnięty jej widokiem; cała tonęła w błocie. Owego dnia Roberta Anaya odebrała pocztę i odezwała się do listonosza: uważaj na nią, to jeszcze dziecko. Jonasz słuchał jej w osłupieniu, niekoniecznie nawet z powodu jej słów, lecz na widok jej piersi; nigdy dotąd nie widział ich z bliska, jaka szkoda, że córka nie ma takich samych.

I podczas gdy Berta mogła myśleć tylko o Jonaszu, nawidyjczycy zastanawiali się jedynie nad tym, jak tu odbudować wioskę. Całymi dniami i nocami kobiety szyły z różowego materiału rozmaite części ubrania, wykorzystały również stroje, które już miały, i wsadziły je do olbrzymich kadzi, aby je ufarbować. Nalały farbę i powstała różowa ciecz, do której włożyły ubrania o jasnych kolorach, gdyż zobaczyły, że ciemnych nie ufarbują żadnym sposobem. Ufarbowały także skóry, żeby uszyć z nich buty, a te, które miały, też pomalowały na różowo. Na początku kobiety zbierały się do tej pracy przed kościołem, lecz Margarita Cifuentes gadała bez ustanku i żeby nie musieć jej słuchać, postanowiły, że każda będzie szyła u siebie w domu. Berta pomagała matce, choć nie za dużo, gdyż po spotkaniu z Jonaszem była bardziej ogłupiała niż kiedykolwiek i powiedziała Robercie, jak bardzo jest zakochana, i że pobiorą się pewnego dnia, i była tak wniebowzięta, że aż ukłuła się wiele razy igłą, a kiedy ujrzała krew, oznajmiła, że nawet krew wydaje się przepiękna, i spytała matkę o zdanie w tej sprawie, a ta jej powiedziała, że Juan Quintana nigdy się nie zgodzi, bo na domiar wszystkiego tamten jest z Ponsy, i twemu ojcu jak nic się to nie spodoba, jednakże nie zadręczała zbytnio córki, bo nigdy nie widziała jej tak szczęśliwej, i naturalnie znów powtórzyła, żeby bardzo uważała, bo mężczyźni to po prostu zwierzęta, a Berta pomyślała o swym ślubowaniu, lecz nic matce nie powiedziała, był to bowiem sekret między nią, Najświętszą Panienką a Jonaszem, lecz uspokoiła Robertę, nie martw się, mateczko, nie zrobimy nic złego.

I podczas gdy Berta, jej matka i wszystkie kobiety z Navidad szyły i farbowały ubrania, mężczyźni zabrali się do odbudowy domów, spichlerzy, sklepów, naprawy mebli. Przychodzili jedni drugim z pomocą, nigdy dotąd nie byli tak solidarni, nawet Alberto Cukiernik, który zawsze chadzał swoimi drogami, przyłączył się do nich bez grymasów, a co najbardziej zdumiewające, widziano go uśmiechniętego, i to nieraz. Cóż za szczęśliwy traf, że był z nimi Amadeusz Głuptak, ów osiłek, który wszystkim pomagał przenosić rzeczy, dźwigając meble i zwierzęta, i nigdy nie otrzymał tak hojnych datków, co wywołało wielką zazdrość Juana Quintany. Ojciec Federico także chciał im pomóc, więc kobiety wręczyły mu natychmiast spodnie i koszulkę, żeby nie zniszczył sobie habitu. Spodnie były krótkie; niewiasty tłumaczyły, że tak będzie mu wygodniej pracować, ale naprawdę chodziło im o to, żeby widzieć jego nogi. Naturalnie wystawianie nóg na wiatr wcale mu się nie uśmiechało, lecz włożył spodnie bez szemrania, wszak kobiety były tak uprzejme.

Począwszy od następnego tygodnia po potopie, Jonasz mógł widywać się z Długą Bertą, oprócz dni, kiedy przynosił pocztę, również w soboty i niedziele; mógł to jakoś urządzić. Teraz Berta i Jonasz widywali się nie tylko w poniedziałki, środy i piątki, lecz również w soboty i niedziele, więc zostawały tylko dwa dni, których Berta nienawidziła: wtorki i czwartki. Spotykali się w Niebiańskim Zakątku, gdzie spędzali długie godziny, wpatrując się w błękitne niebo, i Berta zapragnęła pokazać Jonaszowi zabawę w chmury, o, popatrz na tę chmurę, tam wysoko, wygląda jak twarz, a on wykazał się kompletnym brakiem wyobraźni, nie widzę twarzy, gdzie ją masz, a Berta pokazywała mu, gdzie są oczy i usta, wreszcie zobaczyłem twarz, a teraz widzę całującą się parę, gdzie ją masz, a teraz samochód, gdzie go widzisz, biedny Jonasz nic nie widział; niewiele obchodziło Bertę, że tak mało ma wyobraźni, kochała go, wszak nikt nie jest doskonały, nawet sama miłość, a Jonasz tak bardzo jej pragnął, lecz ona pozwalała jedynie, by całował ją leciutko i pieścił, ale tylko w te i te miejsca. Uszy – tak, nos także, piersi – mowy nie ma, nóżki – tylko kawałeczek, ramiona – calutkie. A Berta, która też w końcu nie była z kamienia, również go pragnęła i bała się bardzo, że zapomni o ślubowaniu, i żeby to się jej nigdy nie przytrafiło, postanowiła zawiązać sobie różową kokardę na nadgarstku.

W półtora tygodnia po tym, jak przestało padać, wszystko było przygotowane, by nazajutrz cała wioska przyodziała się na różowo. Kobiety przyniosły wszystkie ubrania do kościoła i rozdzieliły je pomiędzy członków rodzin. Różowe buty, różowe swetry, różowe skarpetki, różowe spodnie, różowe kamizelki, różowe pasy, różowe pończochy, różowe spódnice, różowe bluzy, różowe kapelusze, różowe chusty, różowe krawaty. Zabawnie było widzieć te wszystkie sztuki ubrania razem, tworzyły wielką różową plamę, i mężczyźni śmiali się na myśl o tym, jak będą wyglądali ubrani na różowo, a kobiety odpowiadały bardzo poważnie: śmiejcie się do woli, trzeba przecież wypełnić ślubowanie.

Miała również miejsce wielka dyskusja – trzeba było zdecydować, czy bielizna także ma być różowa – w końcu postanowiono, że nie, bo mężczyźni sprzeciwili się temu kategorycznie, już dosyć uczynili, ubierając się na różowo, i dyskusja, która utknęła wcześniej w martwym punkcie, nabrała rumieńców, gdy ktoś oznajmił wielce uczenie, że przecież nikt nie wychodzi na ulicę w samej bieliźnie, a w domu każdy robi, co mu się żywnie podoba. Jedynym nawidyjczykiem, którego zmuszono do noszenia różowej bielizny, był Pedro Ślepiec – przez jego rozpięty rozporek widać było gatki, które, jak wszyscy wiedzieli, były kolorowe. Na początku sprzeciwił się, słyszał bowiem, że różowy to kolor dla bab, i przyrzekł, że nigdy więcej nie będzie chodził z rozpiętym rozporkiem. Nikt mu jednak nie uwierzył i na koniec kobiety przekonały go, mówiąc, że mężczyzna noszący różowe gatki – ho, ho, taki to dopiero ma charakter!

Wezwano także ojca Federico, by mu powiedzieć, że musi zmienić habit; kobiety przygotowały dla niego nowy, różowej barwy. Ojciec Federico uśmiał się z absurdalnej propozycji wiernych: zgodził się włożyć krótkie spodnie, ale nigdy nie włoży różowego habitu, co to, to nie. Nalegali jednak tak silnie, że postanowił zasięgnąć opinii władz kościelnych w stolicy. Kiedy przedstawił całą rzecz biskupowi, ów pomyślał, że ojciec Federico musiał się upić albo może rozum mu odebrało, zdarzało się to choćby raz wszystkim młodym kapłanom, zwłaszcza gdy zostali wysłani do zabitych dechami wiosek, jak

Navidad; szczęściem dla ojca Federico biskup był tego dnia w doskonałym humorze i postanowił zapomnieć o całej sprawie. A wierni, po chwili wahania, zdecydowali, że będzie on jedynym nawidyjczykiem, który nie będzie się nosił na różowo, wziąwszy pod uwagę, że był najlepszym księdzem, jakiego mieli od bardzo dawna, a ponadto lepszy wróbel w garści niż gołąbków sto na dachu.

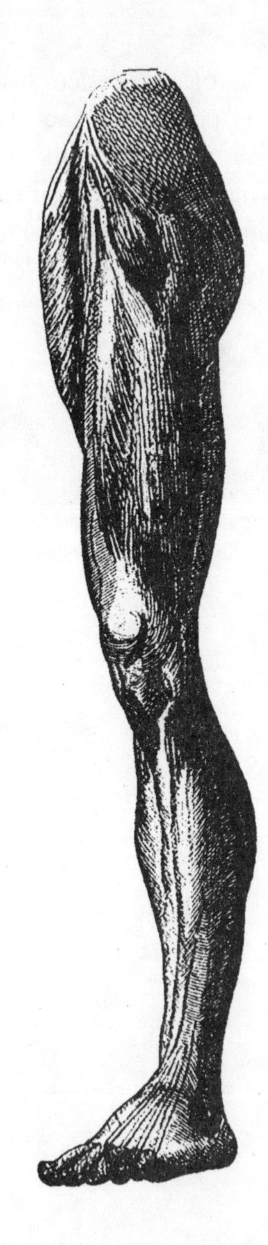

Budowa anatomiczna jednej z wielce atrakcyjnych nóg ojca Federico

Juan Quintana włożył ubranie, które Roberta Anaya zostawiła mu, jak zwykle, przygotowane na krześle: spodnie, koszulę i buty, tym razem wszystko różowe. Kiedy żona go ujrzała, nie mogła powstrzymać się od śmiechu. To samo, gdy zobaczyła go córka. Naprawdę był przezabawny, ubrany na różowo od stóp do głów. Juan Quintana pojął, że wygląda groteskowo, i oznajmił, że tak ubrany za nic nie wyjdzie z domu. Gdy zdejmował ubranie, Roberta Anaya, która również ubrała się na różowo, ale jako że była kobietą, nie wyglądała jak jakieś dziwadło, przypomniała mu o ślubowaniu i o konsekwencjach, jakie mogły na nich spaść, o ile go nie dotrzymają, i Juan Quintana po raz drugi odział się na różowo.

Podobnie zdarzyło się w większości rodzin; wszyscy mężczyźni uważali, że ubrani na różowo wyglądają idiotycznie. Tego dnia Roberta otwarła karczmę, bo Juan Quintana odmówił wyjścia z domu, przyszło jednak zaledwie paru klientów, gdyż większość mężczyzn, podobnie jak Juan Quintana, nie chciała pokazać się nikomu; co najwyżej wyglądali dyskretnie z balkonów. Najbardziej sprzeciwiali się ubraniu na różowo najstarsi, uważali, że to strasznie babskie. Najgorzej przeżył to Alberto

Cukiernik, który, ujrzawszy się w różowym ubraniu, o mały włos nie obrzucił przekleństwami starej Inés za to ślubowanie; kobiety, które go usłyszały, rzuciły się nań wściekłe, jak śmiesz tak mówić, przecież gdyby nie ona, utonęlibyśmy wszyscy, a on widząc baby tak rozjuszone, próbował je mitygować; powiedział, że mogła przynajmniej wybrać inny kolor.

Jako że większość mężczyzn nie chciała wyjść z domów, kobiety pomogły sobie nawzajem i wywlokły ich siłą. Na przykład do wywleczenia Józefa Cieśli potrzebnych było pięć niewiast. Alberto Cukiernik, bardziej korpulentny i humorzasty, opierał się jeszcze silniej i Remedios musiała poprosić o pomoc siedem kobiet. Za to, aby alkad Feliciano zwany Świętym ukazał się innym, wystarczyła sama Margarita Cifuentes, lepiej było bowiem zgrywać durnia w tym różowym przebraniu, niż ją znosić. Juan Quintana zszedł do karczmy, gdy zobaczył, że inni mężczyźni już spacerują po wiosce, a uczynił to przede wszystkim ze strachu przed utratą klienteli. Pedro Ślepiec, który nie widział, co ma na sobie, wyszedł na ulicę ubrany na czarno i zielono, i musieli iść do niego do domu, wyciągnąć mu z szafy ubrania różnych kolorów i zastąpić je odzieżą wyłącznie różową. Niektórzy synowie, widząc swych ojców ubranych na różowo, także stracili dla nich wszelkie poważanie. Amadeusz Głuptak nie zdołał powstrzymać się od śmiechu i oberwał kijem od ojca, który z powodu tej różowości był wściekły.

Przez cały tydzień nawidyjczycy nosili ten sam kolor, różowy. Pomalutku zaczynali się przyzwyczajać, cóż na to poradzić, jak powiedziałaby Remedios. Z początku patrzyli na siebie ze zdumieniem, ciągle ktoś szemrał. Niektórzy nie mogli pohamować śmiechu, wybuchła z tego powodu niejedna sprzeczka, którą kobiety czym prędzej łagodziły. Mężczyźni mówili do Pedra Ślepca, że ma kupę szczęścia; nie widzi siebie ubranego na różowo, i zapnijże wreszcie ten rozporek.

Po dwóch tygodniach został już tylko jeden nawidyjczyk, który nawet nosa nie wychylił na ulicę: mąż Dolores Sklepikarki, Tomás; okazał się on bardziej uparty niż osioł Fryderyk i oznajmił Dolores, że prędzej umrze, niż wyjdzie na ulicę ubrany na różowo: zaniechał uprawy swych ziem i popadł w pijaństwo. Sklepikarka była zrozpaczona i błagała sąsiadów o pomoc; wielu mężczyzn, a pośród nich Juan Quintana, stawiło się u nich w domu, nie było jednak na Tomasa sposobu, zamykał się w łazience za każdym razem, gdy tylko usłyszał kroki. Przyszedł go odwiedzić ojciec Federico i Tomás mu powiedział: przecież ojciec nie chodzi ubrany na różowo, więc ja tak samo, a Dolores w ataku histerii podłożyła ogień pod dom, aby zmusić męża do wyjścia, lecz nawet płomienie nie skłoniły go do zmiany zdania: z kamienną twarzą usiadł w jadalni i czekał. Próżne były starania Dolores, która usiłowała bez powodzenia siłą wyrwać go z krzesła. I umarł, pokazując, że jest naprawdę człowiekiem honoru, wszak powiedział, że prędzej umrze, niż ubierze się na różowo. I choć ktoś napomknął, że trzeba by go ubrać na różowo do trumny, sklepikarka sprzeciwiła się temu stanowczo, trzeba uszanować wolę zmarłego. Aby nie złamać ślubowania, zdołali przekonać wdowę, żeby go włożyć do trumny nagiego, i okryli go całunem, najpierw białym, a potem różowym. Ten ostatni włożyli w ostatniej chwili przed zamknięciem wieka trumny, żeby Dolores nie widziała, i niejeden pomyślał, że czemuż to nie spaliła się Margarita Cifuentes – przez te wszystkie nowiny w wiosce gadała więcej niż zwykle, a i to już było dosyć.

Jeśli do kogoś naprawdę pasował kolor, jaki przybrała wioska, była to Berta. Różowy... czuła, że takie właśnie było jej życie, i kiedy Jonasz zobaczył ją całą ubraną na różowo, zachwycił się; wydawała mu się piękniejsza niż kiedykolwiek, a Berta poczuła się tak szczęśliwa, że aż mu powiedziała, że wszystko wydaje się jej jakimś cudownym snem, a on podszczypywał ją, mając dobrą wymówkę, że musi ją nieco otrzeźwić, i tak, przy okazji, udawało mu się ją popieścić. A ona odsuwała się od niego, mówiąc: pamiętaj o ślubowaniu.

W Niebiańskim Zakątku Jonasz i Berta stopniowo się poznawali i Berta zapragnęła się dowiedzieć, dlaczego jej ukochany nosi imię Jonasz; nigdy dotąd takiego nie słyszała. Wyjaśnił jej, że zawdzięcza swe imię temu, iż jego rodzice widywali się w Wielorybiej Grocie, zwanej tak, ponieważ wejście do niej przypominało paszczę wieloryba; znajdowała się nieopodal Ponsy i trzeba było wspiąć się na stromą skałę, by się do niej dostać.

Jonasz posmutniał, opowiadając Bercie tę historię, a ona, gdy ją usłyszała, zrozumiała, czemu nie opowiedział jej o tym w swych listach: nie chciał jej zasmucić. Ojciec Jonasza był kupcem i podczas jednej ze swych podróży poznał jego matkę. Zakochali się w sobie, ich miłość nie mogła jednak trwać, gdyż on był żonaty; spotykali się w Wielorybiej Grocie i kochali potajemnie; planowali, że uciekną razem, aż do chwili gdy matka Jonasza zaszła w ciążę, a kupiec, gdy tylko się o tym dowiedział, znikł na zawsze. Matka umarła w połogu, lecz przed śmiercią zdążyła poprosić, aby jej syn, jako że poczęty został w Wielorybiej Grocie, nosił imię Jonasz, tak jak ten z Biblii. I Enriqueta, ciotka Jonasza, przyjęła go jako syna. Berta wzruszyła się, słuchając tej historii, i pomyślała, że ze swym ojcem, Juanem Quintaną, naprawdę miała wielkie szczęście; bardzo ją kochał i gdyby tak jeszcze zaakceptował jej związek z Jonaszem, byłby najlepszym ojcem na świecie. I powiedziała Jonaszowi, że chciałaby kiedyś zobaczyć Wielorybią Grotę. Ukochany opowiedział jej, że nie jest specjalnie duża, ale bardzo wygodna, latem było w niej chłodno, a zimą ciepło, a echo powtarzało miłosne słowa kochanków i nie było ryzyka, że ktoś ich zaskoczy, bo gdy się zbliżał, słychać to było w środku. Postanowili pójść tam w następnym tygodniu, lecz

Berta, czując różową wstążkę opasującą nadgarstek, przypomniała sobie o ślubowaniu i opowiedziała o tym Jonaszowi, a on, który już zaczynał być zaiste jak święty, zrozumiał ją, jak zwykle. Lecz nawet święci nie są z kamienia i czuł wielkie pragnienie, by ją rozebrać, dotknąć jej piersi, a kiedy czuł, że zwierzę, jakie nosił w swym wnętrzu, już zaraz się obudzi, odrywał się od niej, szedł na krótki spacer i nie wracał, póki się całkiem nie uspokoił. A kiedy się żegnali, ból ich był niezmierny i zaraz pragnęli się znowu spotkać.

Kiedy po spotkaniu z Bertą Jonasz pojawił się w wiosce, oczom własnym nie wierzył, ujrzawszy wszystkich ubranych na różowo. Berta wszak opowiadała mu o ślubowaniu złożonym przez całą wioskę. Najpierw zobaczył mężczyznę odzianego w róż, następnie całą rodzinę, potem innego mężczyznę, zdawało mu się nawet, że śni albo że obiad – a tego dnia podjadł sobie zdrowo – jakoś mu zaciążył na żołądku. Potrząsnął więc głową, jak zwykle gdy pragnął wrócić do rzeczywistości, nadal jednak wszyscy byli ubrani na różowo. A kiedy ujrzał Juana Quintanę, musiał zdobyć się na ogromny wysiłek, aby nie wybuchnąć śmiechem, zwłaszcza gdy pomyślał, że ten zabawny człowiek pewnego dnia zostanie jego teściem. Czym prędzej wręczył mu pocztę, ale aż się dusił od powstrzymywanego śmiechu.

Owego dnia Jonasz wrócił do Ponsy, nie mogąc się otrząsnąć z wrażenia po tym wszystkim, co ujrzał, i opowiedział wszystko swej ciotce Enriquecie, która z początku w ogóle nie chciała mu uwierzyć, pomyślała jednak, że ten chłopak, który prawie nic nie mówi, skoro już to uczynił, musiał mieć jakąś poważną przyczynę. I ciotka Jonasza opowiedziała wszystko sąsiadkom, i szybko wieść się rozniosła.

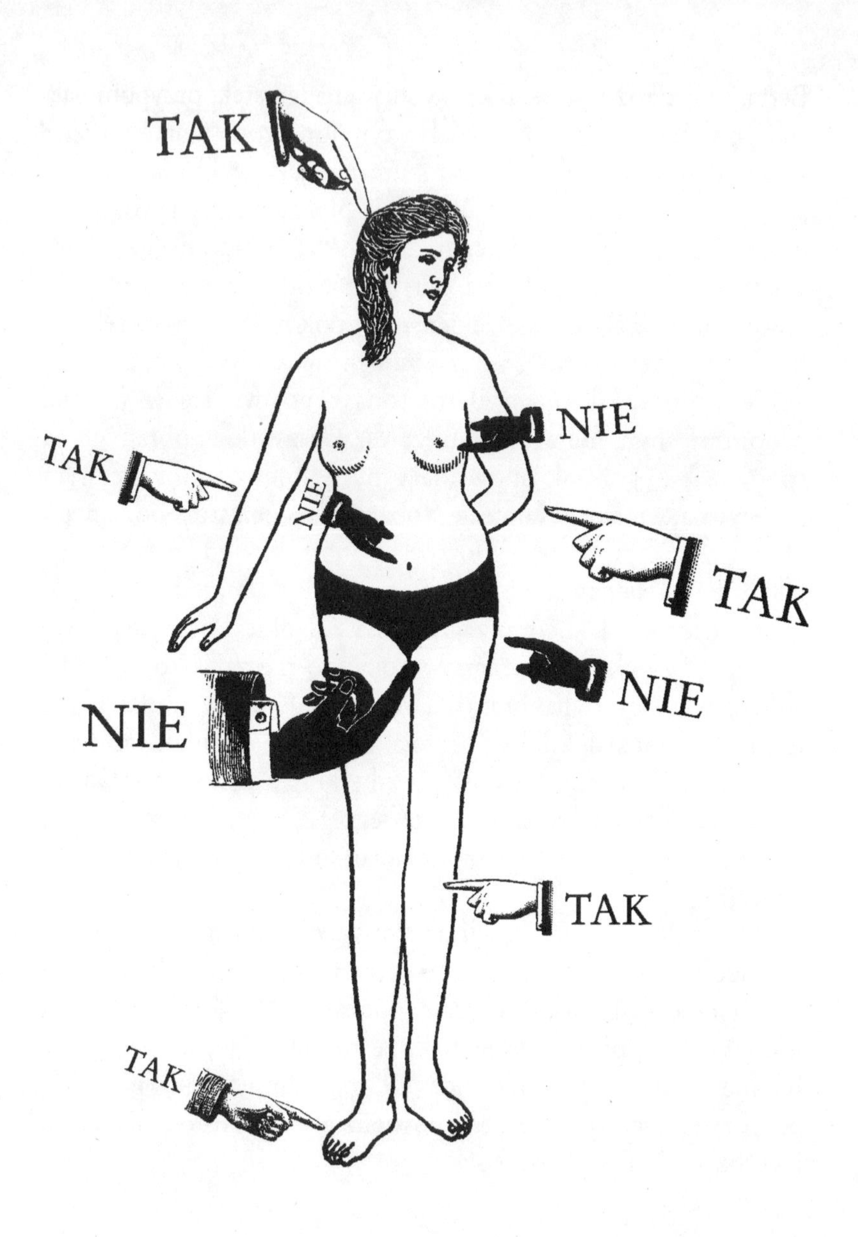

Części ciała Berty, których Jonasz może dotykać po ślubowaniu

Prędko rozniosła się wieść, iż jest gdzieś wioska, w której wszyscy chodzą ubrani na różowo, i Navidad – prawdziwa ciekawostka regionu – otrzymała przydomek Różowej Wioski. Niebawem jęli nadciągać ciekawscy, najpierw z pobliskich wiosek, potem nawet z daleka. Największa ciekawość dręczyła mieszkańców Ponsy, i choć nie byli specjalnie mile widziani w Navidad, to przecież nie można im było zakazać wstępu, choćby nawet miało się na to wielką ochotę; to tak, jakby chcieć zakazać wstępu muchom.

Pierwszą reakcją przybyłych na widok nawidyjczyków było zaskoczenie. Mieszkańcom Navidad z początku strasznie przeszkadzało, że ktoś ich wciąż obserwuje, zwłaszcza że komentarze nieraz były utrzymane w drwiącym tonie. Mieszkańcom Ponsy sprawiało największą uciechę oglądanie największych *machos* w różowych ubrankach i śmiali się, choć bardzo ostrożnie, nie zapominając o tym, że są w mniejszości. Amadeuszowi Głuptakowi leżało na wątrobie, że się z niego wyśmiewają, złapał więc jednego z nich za klapy i nie doszło do bójki jedynie dlatego, że nawidyjczycy po potopie pragnęli żyć w spokoju. Trzeba było trzech mężczyzn, by odciągnąć Amadeusza Głuptaka od mieszkańca Ponsy, i aby uniknąć w przyszłości kłopotów, ustawiono u wjazdu do wioski tablicę z napisem: „Uprasza się o uszanowanie stroju mieszkańców Navidad".

Naprawdę było bardzo zabawnie oglądać starców ubranych na różowo, siedzących na gankach swych domów, różowe kobiety podczas południowej pogawędki; bawiące się dzieci, stłoczone na małym szkolnym patio, podobne do wielkiej różowej plamy, ułożyły piosenkę, którą śpiewały na pauzach, i która w niedługim czasie zdobyła sławę:

Dzięki, Różowa Panienko,
z potopu nas ocaliłaś.
Dzięki, Różowa Panienko,
słoneczko nam przywróciłaś.
I teraz życie nasze
różowe całe jest.
Dzięki, Różowa Panienko,
z potopu nas ocaliłaś.

Na wszelki wypadek pozwalano śpiewać tylko tym dzieciom, które miały ładne głosy, obawiano się bowiem, że paskudny głos może wyprowadzić niebiosa z równowagi, a śpiewu doñi Lucii już nikt nigdy nie usłyszał: każdego wieczoru ktoś pamiętał o tym, by wsypać jej środek nasenny do wypijanego wieczorem kubeczka mleka, aby usnęła w okamgnieniu, i rzeczywiście, doña Lucía musiała spać bardzo głęboko, teraz bowiem w nocnej ciszy w całej wiosce dawało się słyszeć jej chrapanie, bez wątpienia jednak lepsze było jej chrapanie niż jej śpiewanie.

Juan Quintana zaczął cieszyć się taką pomyślnością, jakiej nigdy dotąd nie zaznał. W karczmie dosłownie zaczęło brakować miejsca, przyjezdni wypełniali ją dzień w dzień i nigdy nie słyszano tak często brzęku napiwków. Przybysze okazali się hojniejsi od nawidyjczyków, czemu trudno było się dziwić. Odtąd pokój gościnny był nieustannie zajęty, a kiedy trzeba było dać gościom więcej niż jeden, Juan Quintana, który nie potrafił nigdy odmówić klientowi, przenosił się do żony i córki i spali w jednym pokoju wszyscy troje. Teraz Roberta Anaya, biedaczka, pracowała więcej niż kiedykolwiek i nie dość że nie miała pokoiku do szycia, o którym zawsze marzyła, to jeszcze w dodatku straciła własną sypialnię.

A do wioski jęło napływać tylu ludzi, że Juan Quintana przez miesiąc zarobił więcej niż przedtem przez cały rok i z pieniędzy uzbieranych przez ten czas oraz pożyczki, jaką mu przyznał alkad Feliciano zwany Świętym, postanowił wybudować hotel dla turystów. Z pomocą Józefa Cieśli i Amadeusza Głuptaka pracował dniem i nocą i we trzech wybudowali hotel w rekordowym czasie; trzeba było się spieszyć, przybywało coraz więcej turystów. Owładnięty przemożnym pragnieniem przyciągnięcia klientów, postanowił pomalować go na różowo, tak z zewnątrz jak w środku, polecił także pomalować na różowo meble; również pościel, zasłony, dywany i ręczniki ufarbowano na różowo.

W ciągu dwóch tygodni hotel był zbudowany i tak Roberta Anaya mogła wrócić do własnej sypialni, a także odzyskała dla siebie pokój gościnny. Przerobiła go na pokoik do szycia, lecz teraz, kiedy nareszcie miała to, o czym zawsze marzyła, nie miała czasu, by go używać, kiedy bowiem Juan Quintana zajmował się hotelem, Roberta Anaya musiała zatroszczyć się o karczmę. Za to Juan Quintana zbudował toaletę specjalnie dla siebie, bo córka znowu miała problemy z brzuchem, lecz tak samo nie miał czasu, by z niej korzystać. Jako że pomysł pomalowania hotelu na różowo wydawał się mu genialny, uczynił to samo z karczmą. Gdybyż tylko pradziadek mógł powstać z mogiły! – lepiej jednak było zostawić go w świętym spokoju: pomalował nawet drewnianą nogę na różowo i karczma nosiła odtąd miano Karczmy pod Różowym Piratem.

Juan Quintana miał tyle pracy, że musiał zatrudnić pracownika, a dokładniej siostrzeńca alkada Feliciana zwanego Świętym, który w końcu coś musiał mieć z tego, że mu dał pożyczkę. Chłopak był niedołęgą i nie było z niego większego pożytku. Juan Quintana był tak zajęty, że nie miał czasu się tym przejmować, a nawet tym, czy jego córka interesuje się jakimś mężczyzną; nie poszedł nawet pod drzewo zakochanych, żeby to sprawdzić, a było przecież jasne jak słońce, że dziewczyna się zakochała. Gdy dzień dobiegał końca, był tak wyczerpany, że nie tylko w święta zasypiał z głową na lewej piersi Roberty; ona unosiła mu głowę i układała ją na poduszce, ta harówa cię w końcu zabije, dobranoc. A dla Długiej Berty było prawdziwym szczęściem, że ojciec jest tak przemęczony, mogła spotykać się z ukochanym, nie wzbudzając podejrzeń, i tylko Roberta Anaya o tym wiedziała, mam randkę z Jonaszem.

Juan Quintana z czystej ambicji chciał mieć jeszcze więcej klientów; przyszedł mu do głowy pomysł, który wszystkim przypadł do gustu: zaproponował sąsiadom, by wszystkie domy w Navidad pomalowali na różowo, tak samo samochody i szyldy. Nim minął miesiąc, prawie wszystkie domy w wiosce były różowe, nawet kościół, mimo że ojciec Federico sprzeciwił się temu, a skoro wierni tak bardzo go przyciskali, oznajmił, że skonsultuje ów problem z władzami kościelnymi; tym razem jednak mieszkańcy Navidad dopięli swego, pamiętając, co się stało z habitem: poza tym w końcu różowy to kolor naszej Najświętszej Panienki.

A na balkonach domów pojawiały się stopniowo róże, geranium i inne kwiaty różowej barwy. A szafy pękały od różowych ubrań, i kiedy słońce świeciło najjaśniej, różowy blask aż kłuł w oczy, a ze szczytu wzgórza, pośród zieleni krajobrazu, widać było olbrzymią różową plamę.

Turyści jęli napływać z coraz dalszych stron, przede wszystkim ze stolicy; wielu miało aparaty fotograficzne – robili nawidyjczykom tak okropnie dużo zdjęć, że tym ostatnim wydało się to niezwykle męczące i postanowili, druzgocącą większością głosów, iż przyjezdni będą musieli im płacić za każdym razem, gdy zechcą uwiecznić ich na fotografii. To sprawiło, że najodważniejsi zaczęli ubierać się ekstrawagancko, by przyciągnąć obiektywy turystów. Sławę zdobył przede wszystkim jeden nawidyjczyk, noszący różowe sombrero z główką o kształcie kieliszka niemal metrowej wysokości, i drugi, spacerujący po wiosce ze swym psem, którego ufarbował na różowo; psu naturalnie nie przypadł do serca kolor, jaki przybrała jego sierść. Biedny psiak, któremu nic nie było wiadomo o ślubowaniach, sławie ani pieniądzach, posmutniał na dobre – musiał sobie myśleć, że ludzie doprawdy są bardzo dziwni; jakież szczęście mają świnie, różowe same z siebie, kury, których piór nie da się ufarbować, i krowy, zajęte dawaniem mleka. Z winy barwników stracił węch, cóż za pieskie życie, a jako że ze starości niedowidział, zeżarł rozżarzone polano, biorąc je za kawał surowego mięsiwa, i zdechł. Niejeden pomyślał: szkoda, doprawdy, że nie zjadł Margarity Cifuentes.

Osioł Fryderyk także został pomalowany na różowo, a ponieważ było jasne jak słońce, że nie nadaje się do przepowiadania czegokolwiek, ustawiono go u wjazdu do wioski jako reklamę; pomimo doskonałej pogody nieustannie potrząsał uszami, co miało być sygnałem, że nadchodzi brzydka pogoda, a przecież nigdy nie była tak piękna, cóż za osioł nad osłami.

Podczas gdy wioska prosperowała znakomicie, miłość Berty i Jonasza rosła całkiem tak jak oni w dzieciństwie. Widywali się w Niebiańskim Zakątku i tam, trzymając się za ręce, spędzali długie godziny i nigdy nie mieli dość bycia razem. Berta mówiła ukochanemu, że miłość ich byłaby doskonała, gdyby tylko Juan Quintana zaaprobował ich związek, a Jonasz odpowiadał, że jeśli tego nie uczyni, uciekną oboje bardzo, bardzo daleko. Tego zrobić nie mogę, po tobie najbardziej na świecie kocham moich rodziców. Jonasz zaś myślał, że ich miłość byłaby doskonała, gdyby mogli robić coś więcej, nie tylko całować się i przytulać tak niewinnie. Jego pragnienie, by posiąść Bertę, wzrastało z dnia na dzień. I opowiadali sobie prawie wszystko, nawet całkiem nieważne szczegóły swego życia, gdyż z przyczyny ślubowania niewiele ponad to mogli robić. Szczęściem dla Jonasza w owych dniach niebo było prawie bezchmurne, rzadko zatem mogli grać w chmury – ta rozrywka zaczęła już go nudzić, skoro można było robić tyle ciekawszych rzeczy; wówczas same oczy wędrowały mu na piersi Berty i prawie mimochodem przypominał sobie cyce Roberty Anai, ach, te paskudne porównania.

Było jasne jak słońce, że Bercie dużo bardziej zależało na wypełnieniu ślubowania niż Jonaszowi. Teraz jednak, kiedy już trochę znała swego ukochanego, nauczyła się rozmaitych sztuczek, żeby uniknąć jego miłosnych zapałów: zezwalała mu tylko na siedem pocałunków podczas całego spotkania, przekonała się bowiem, że poczynając od ósmego Jonaszowi ręce same chodzą. Nauczyła się od matki jeszcze jednego fortelu: mówiła, że głowa jej dosłownie pęka. Roberta używała tego wybiegu, kiedy ojciec Berty stawał się przesadnie czuły nie w porę. Naturalnie nic takiego nie zdarzało się, od kiedy Juan Quintana był tak bardzo zajęty. I podobnie jak to czyniła jej matka wobec Juana Quintany w niedziele i święta obowiązkowe, Berta obdarzała Jonasza nagrodą. Nie była to co prawda lewa pierś – wszak ślubowanie – tylko – czemuż by nie? – pocałunek z języczkiem. Ale tylko jeden, bo Jonasz zaczynał cały chodzić, jak motor, gdy ma ruszyć.

Prawdą jest również, że Jonasz, mimo wszystko, wolał mieć Bertę w taki sposób, nie posiadając jej naprawdę, anizeli ją stracić. Kochał ją całym sercem, ponadto brakowało tylko roku, by skończyła osiemnaście lat, i wtedy będą mogli się pobrać. Błogosławiony niech będzie dzień, w którym Berta ukończy osiemnaście lat!

Juan Quintana zdawał się tak szczęśliwy, mając takie mnóstwo klientów, że Długa Berta powiedziała matce, iż być może nadszedł właściwy moment, by wyjaśnić ojcu, że jest zakochana w Jonaszu. Przez wiele dni robiła próby, zastanawiając się, jak by mu to najlepiej powiedzieć: tatusiu, bardzo cię kocham, a jeżeli ty także naprawdę mnie kochasz, zrozumiesz, że mam prawo być zakochana i szczęśliwa. W owych dniach Juan Quintana był tak zajęty, że Długiej Bercie przyszło czekać cały tydzień, by móc z nim zostać sam na sam choćby na chwilkę; nigdy w życiu nie była tak zdenerwowana. Wiedziała, że od słów, jakie miała wymówić, zależy jej szczęście, i musiała schować ręce, by ojciec nie zobaczył, jak drżą. W końcu jednak zdołała powiedzieć jedynie: tatusiu, bardzo cię kocham, gdyż Juan Quintana przerwał jej i odpowiedział: ja też bardzo cię kocham, ale teraz muszę wracać do roboty. I nie sposób było cokolwiek mu powiedzieć, myślał bowiem jedynie o swym przeklętym hotelu, o swych przeklętych klientach i jak przyciągnąć ich jeszcze więcej; owszem, zdążył przedstawić jej swój nowy pomysł; chodziło o to, żeby oferować klientom różowe menu: krewetki, łososia, sałatkę z różowym sosem, a na deser truskawki. Z tej całej gorliwości, aby wszystko było tak bardzo różowe, wynikło zatrucie – z winy barwników; wielu konsumentów zwróciło wszystko, co zjedli, a wymiociny miały intensywnie różową barwę. Wyglądały tak obrzydliwie, że Juanowi Quintanie, gdy tylko je ujrzał, także zaczęło się zbierać na wymioty. Aby uniknąć skarg, ofiarował nocleg wszystkim poszkodowanym.

Pomimo drobnych incydentów w rodzaju opisanego wyżej, wioska zaczęła przynosić zyski nie tylko Juanowi Quintanie.

Trzeba było zbudować dwa nowe hotele i liczne bary, i restauracje. Jako że budowano nowe domy, Józef Cieśla także miał więcej pracy, większość ich bowiem budowano z drewna; sprzedawał również najrozmaitsze meble malowane na różowo. W ten sposób mógł zatrudnić wszystkich swych synów, a za pieniądze, które udało mu się zaoszczędzić, wybudował kolejny hotel, co sprawiło, że Juan Quintana obraził się na niego, gdyż Józef naśladował go we wszystkim, zrobił nawet taką samą różową dekorację. Ci, którzy żyli z rolnictwa lub hodowli, również weszli w epokę rozkwitu, gdyż większość turystów, po długiej podróży, przyjeżdżała zgłodniała i musiała cokolwiek przekąsić. Jedyny zbiornik z benzyną, znajdujący się w wiosce, którego dotąd prawie nie używano – wszak w Navidad niemal nie było samochodów – przekształcił się w stację benzynową, samochody trzeba było przecież karmić paliwem także i przed drogą powrotną. Ktoś zaproponował, żeby benzyna była różowa; choć z początku strasznie celebrowano ów pomysł, po zbiorowym zatruciu odszedł w niepamięć.

Wielki nawał pracy przysłużył się Dolores; dzięki temu łatwiej podźwignęła się po śmierci męża. W sklepiku zawsze był jakiś klient do obsłużenia, przede wszystkim turyści ze stolicy, którzy przychodzili po zakupy do niej, bo ceny były dużo rozsądniejsze niż w mieście, a teraz zamierzała przenieść się do obszerniejszego lokalu, gdzie mogłaby rozłożyć wygodnie cały towar. Podobnie fryzjerka nigdy nie miała tyle roboty; kobiety, tak często teraz fotografowane, chciały pięknie wyjść na zdjęciach, i na początku niektóre ufarbowały sobie włosy na różowo. Jedyny kłopot, że potem, kiedy myły głowy, cała farba schodziła i jedna kobieta, prawdę powiedziawszy bardzo bojaźliwa, o mało nie umarła na miejscu; kąpiąc się, zobaczyła różową ciecz i myślała, że to krew: przeraziła się tak strasznie, że wyskoczyła jednym susem z wanny i pośliznęła się, i niewiele brakowało, a byłaby sobie rozwaliła łepetynę. Szczęściem zwichnęła tylko rękę, na którą, naturalnie, założono gips i pomalowano go na różowo. I niejeden pomyślał, że czemuż, ach czemuż Margaricie Cifuentes nie mógł się przydarzyć ów wypadek z wanną, raz by sobie wreszcie rozwaliła łepetynę. Również cyrulik klientów miał w nadmiarze: nigdy mężczyźni tak tłumnie nie nawiedzali jego lokalu. Chcieli być piękni, aby flirtować z wszystkimi przyjezdnymi kobietami, które – wyznajmy prawdę – były o wiele atrakcyjniejsze od tych z Navidad; przede wszystkim te ze stolicy, dużo szczuplejsze, schludniutkie, dopięte na ostatni guzik i zrobione na bóstwa.

Alberto Cukiernik, rozwijając pomysł podsunięty mu przez Juana Quintanę, wymyślił różowy tort z truskawkami; ciasto owo cieszyło się wielkim powodzeniem wśród przyjezdnych, nie gardzili nim także i nawidyjczycy, było bowiem znakomite. Najbardziej jednak smakowało Amadeuszowi Głuptakowi; Alberto Cukiernik musiał trzymać różowe torty pod kluczem, w przeciwnym wypadku chłopak zjadłby wszystko. Nawet Pedro Ślepiec dobrze na tym wszystkim wyszedł, bo teraz, gdy było tylu gości, żebrał na ulicy. Nigdy dotąd nie miał takiego mnóstwa pieniędzy; niektóre przyjezdne gorszyły się na widok jego rozpiętego rozporka, a on mówił: jak chcecie, żebym go zapiął, dajcie mi jałmużnę, i ręka mu sama chodziła za nimi, i nigdy nie udało mu się pomacać tylu zadków, jakiż pan niewychowany; jeśli mu wybaczały, to tylko przez wzgląd na jego ślepotę. A kiedy Juan Quintana dowiedział się, że Pedro Ślepiec tak doskonale prosperuje, przestał go zapraszać; musiał odtąd sam zapłacić za swój kielonek, i patrzcie, cóż za zbieg okoliczności, od kiedy Pedro Ślepiec płacił za swe napitki, ani razu nie uronił na podłogę nawet kropelki.

Margarita Cifuentes otworzyła butik, w którym sprzedawała wyłącznie różowe ubrania; zachęcił ją do tego alkad, któremu ów pomysł dawał nadzieję, że będzie mógł mniej jej słuchać. Po towar jeździła do stolicy, tak samo zachęcona przez alkada, który marzył tylko o tym, by trzymać ją jak najdalej; zachęcał także Margaritę, by posiedziała parę dni w mieście, gdzie miała krewnych; kobieto, jak już tam jesteś, wykorzystaj okazję i złóż im wizytę. I butik prosperował znakomicie, praktycznie kto tylko zajrzał do sklepiku, mógł coś dla siebie wybrać. Cośkolwiek, byleby tylko nie musieć jej słuchać.

Pojawiły się także nowe sposoby zarobkowania: niektórzy nawidyjczycy byli przewodnikami dla przyjezdnych, a inni, jak bracia Montalbo, którzy przed potopem pracowali na ziemiach alkada Feliciana zwanego Świętym i zawsze pragnęli wejść do świata teatru, teraz opracowali przedstawienie kukiełkowe; opowiadali w nim historię Różowej Wioski – przygotowali pajacyka, który przedstawiał ojca Federico, innego – starą Inés, która złożyła ślubowanie, moment kulminacyjny zaś następował, kiedy po ulewie pojawiało się słońce. W pierwszych dniach, kiedy wystawiali przedstawienie, Amadeusz Głuptak był autorem efektu deszczu – były to ziarenka ryżu, które rzucał z tyłu na teatrzyk, wspiąwszy się na krzesło. Czynił to jednak tak energicznie, że niewiele brakowało, a byłby zniszczył kukiełki, nastąpiła inwazja mrówek, które zbiegły się na ucztę z ziarenek ryżu zaścielających podłogę. Amadeusz został zwolniony, choć było mu to bardzo nie w smak, robił bowiem ów deszcz z prawdziwą dumą.

Bracia Montalbo okazali się niezwykle kreatywni: wzbogacali przedstawienie nowymi elementami, by nie zanudzić tych, którzy przyszli ich obejrzeć po raz drugi. Teraz opowiadali historię o tym, jak powstały Navidad i legenda o Tęczy, choć przedstawiali ją po swojemu, aby miała ściślejszy związek z barwą wioski. Mówili, że pierwszym osadnikom ukazała się Tęcza tylko i wyłącznie różowej barwy. Na szczęście dla Berty, która ze swą nieśmiałością chyba umarłaby ze wstydu, nie mówili, że to ona była pierwszą nawidyjką, jaka przyszła na świat pod Tęczą, bez wątpienia bowiem rozczarowałoby to niesłychanie widzów. Różowa Tęcza, która z tęczy już nic nie zachowała, w nowej wersji braci Montalbo przekształciła się w wielką przepowiednię, jaką będą mieli nawidyjczycy trzysta lat później, kiedy postanowili złożyć ślubowanie Różowej Panience.

Pochwalono również alkada Feliciana zwanego Świętym, kiedy postanowił, że trzeba będzie naprawić nitkę szosy wiodącą do Navidad. Amadeusz Głuptak zaś nigdy dotąd nie był tak zajęty, oświadczając się wszystkim przyjezdnym młódkom, jakie tylko zawitały do wioski, ko ko ko kocham ć ć ć cię, lecz one również nie zwracały nań najmniejszej uwagi.

Jonasz nigdy nie dźwigał tylu listów do Navidad; wiele spośród nich było od turystów, którzy pragnęli zasięgnąć informacji, i alkad Feliciano nie miał czasu, by im wszystkim odpisywać, i poprosił żonę, by mu pomogła. Nigdy w życiu Margarita Cifuentes nie była tak zajęta; kiedy zamykała butik, musiała przeczytać korespondencję i nie chciało się jej nawet gadać. Kończyła dzień tak wyczerpana, że zasypiała niemal na stojąco. Tyle ciszy – alkad Feliciano szczęściu własnemu nie wierzył, radość jego była jednak krótka, gdyż bardzo niewiele czasu upłynęło, a Margarita Cifuentes jęła głośno śnić: gadała i gadała, wyjawiając z wszelkimi detalami treść listów, wpływy z butiku i tysiące innych rzeczy. Co gorsza, Margarita zdobyła gdzieś katalog, dzięki któremu mogła zamawiać towar na miejscu; nie musiała już jeździć do stolicy.

Pośród wszystkich listów, jakie do nich dotarły, jeden szczególnie sprawił wszystkim wiele radości: Państwowe Przedsiębiorstwo Kartograficzne przysłało im nową mapę regionu, na której nazwa Navidad figurowała wersalikami, a pod nazwą umieszczono notkę następującej treści: „Różowa Wioska, miejscowość turystyczna". Było to bardzo poruszające, lecz nie sprawiło takiego zamieszania jak wiadomość, że nazwa Ponsy napisana była drobniejszymi literkami niż Navidad.

Szczęśliwa Navidad dla wszystkich.

„Osioł pomalowany na różowo”

Osioł Fryderyk wita Państwa w wiosce Navidad

W owych dniach w wiosce przyszła na świat dziewczynka albinoska, którą nazwano różową dziewczyneczką. Należała do tych dzieci, które poczęte zostały w noc ślubowania. Imię, jakie rodzice postanowili dać małej na cześć Najświętszej Panienki, o ile okaże się dziewczynką, nie mogło do niej lepiej pasować: Róża. Choć lekarz z całą powagą twierdził, że była po prostu albinoską, ciałko jej było tak różowe, iż wielu szeptało o kolejnym cudzie Najświętszej Panienki. Mając nadzieję, że dziecko przyniesie im zdrowie i bogactwo, prosili matkę, by pozwoliła im go dotknąć. Jeżeli to turysta chciał dotknąć małej, musiał zapłacić równowartość trzech fotografii.

Kościół w Navidad stał się celem pielgrzymek. Stara Inés z dumą opowiadała historię o cudzie Różowej Panienki, która uratowała Navidad od potopu. Niektórzy przybywali z bardzo daleka, aby poprosić o cud, i, zaprawdę, wiara ich była tak wielka, że byłoby słuszną rzeczą, by Najświętsza Panienka im go zesłała. Kiedy Pedro Ślepiec zorientował się, że ludzie przychodzą prosić Różową Panienkę o cud, poszedł ją błagać, by mu przywróciła wzrok; najbardziej pragnął oglądać babskie zadki. Ale, jako że prócz ślepoty był też niezgrabą, wchodząc do kościoła, potknął się o jedną z ławek i upadł tak nieszczęśliwie, że złamał nogę. Tak oto Pedro wszedł do kościoła jako ślepiec z nadzieją na wyzdrowienie, a wyszedł nie dość że ślepy, to jeszcze kulawy i wściekły, co trwało wiele tygodni.

Ojciec Federico czuł się dumny ze swego kościoła, tak uczęszczanego obecnie, że nawet on sam oczom własnym nie wierzył; niezmordowanie składał dzięki Bogu i niebiosom, które były wszystkiego przyczyną, a jedynym krzyżem była dlań nadal Margarita Cifuentes, która, prócz tego, że wyliczała mu wszystkie swe grzechy, przepisy kuchenne i przedstawiała modę w stolicy, teraz jeszcze opowiadała mu, jacy są przybywający do wioski turyści, wszyscy razem i każdy z osobna.

Trzy miesiące po tym, jak podano do publicznej wiadomości cud Różowej Panienki, ojcu Federico złożyły wizytę władze kościelne. Alkad Feliciano zwany Świętym i jego żona Margarita także przyjęli u siebie zwierzchność kościelną, i naturalnie to Margarita opowiedziała o nadprzyrodzonym wydarzeniu z taką wiarą, a przede wszystkim z tyloma szczegółami, aż noc ich na tym zastała; jakkolwiek biskup, którego dopadł piekielny ból głowy, usłyszał dopiero połowę historii, absolutnie nie mógł już dłużej wytrzymać – powiedział im zatem, że musi wracać do stolicy, i obiecał, że zgłosi całą rzecz do Watykanu, by mogli zrobić odnośne badania. Cokolwiek, byleby tylko nie słuchać tej kobiety.

Datki były tak hojne, że wystarczyło na naprawę zegara na dzwonnicy, a była ona niezwykle kosztowna, gdyż musieli przyjechać dwaj rzemieślnicy z samej stolicy. Wszyscy chcieli być obecni w historycznym momencie, w którym uruchamiano zegar; ażeby uczcić godzinę, jaką przez trzydzieści jeden lat pokazywał, postanowili go nazwać Zegarem Siódmej Dziesięć; teraz nikt już nie miał usprawiedliwienia dla swego spóźnialstwa, więc ci, którzy nie chcieli chodzić na mszę, wymyślili sobie nową wymówkę, zwalając wszystko na turystów, że to niby właśnie w niedziele i święta jest ich najwięcej, nie możemy przecież zostawić ludzi bez obsługi, i zamiast przyjść osobiście do kościoła, przysyłali różowe kwiaty.

Nawidyjczycy wiedzieli, że swe niespodziewane bogactwo zawdzięczają Różowej Panience; nie tylko dziękowali jej, obsypując dzień w dzień różowymi kwiatami i modlitwami, lecz także wypełniając za wszelką cenę ślubowanie: nawet panny młode brały ślub w różowych sukniach, to samo miało miejsce względem żałoby, pomimo sprzeciwu najstarszych, którym powiedziano, że jeśli chcą nosić czerń jako żałobny kolor, niechże go sobie noszą w swych sercach. Śluby na różowo naturalnie przyczyniły niemało zgryzoty Robercie Anai i wielu innym matkom z Navidad, które lata całe marzyły, że ich córki pójdą do ślubu w bieli, tak jak one same, ich matki, babki i niezliczone starsze pokolenia; wiele spośród nich skarżyło się, że zachowały z taką pieczołowitością swe ślubne suknie, by mogły je włożyć ich córki, a teraz po co to wszystko. Ten ostatni żal Roberta Anaya ukoiła w swej duszy już dawno. Wzrost jej córki, obwód cycków Roberty – było jasne, że i tak potrzebna będzie nowa sukienka na ślub.

W tych samych dniach Długa Berta i Długi Jonasz zaręczyli się, jak Pan Bóg przykazał, wzywając niebiosa na świadka: kochankowie patrzyli na chmury, kiedy Berta zobaczyła, że jedna z nich ma kształt obrączki, i powiedziała to ukochanemu. Miała tak doskonały kształt, że nawet Jonasz zobaczył ją dokładnie, zamyślił się na parę chwil, ujął dłoń swej ukochanej, zwrócił ku niebiosom i poprosił, aby uniosła serdeczny palec; powiedział jej, że owa obrączka namalowana w niebie to ich pierścionek zaręczynowy; potem uczynił to samo: uniósł dłoń i zwrócił ku niebu serdeczny palec, a łzy szczęścia rozbłysły w oczach Berty. Czuła się tak szczęśliwa, że zgodziła się, by Jonasz dał jej siedem regulaminowych całusów i jeden ekstra, choć nie była to wcale niedziela ani święto. A po ósmym Jonasz przytulił ją z taką siłą, że po raz pierwszy nie bardzo wiedziała, jak się tu od niego oderwać. A kiedy wreszcie jej się to udało, Jonasz podniósł na nią głos, powiedział jej, że ma już potąd przeklętego ślubowania. Szczęściem zaraz pożałował tego, co mu się wymknęło, i poprosił o wybaczenie. Uczynił to ze szczerego serca, gdyż nie chciał jej stracić. Błogosławiony niech będzie dzień, w którym Długa Berta ukończy osiemnaście lat!

Jednakże w Navidad nie panowała powszechna szczęśliwość, głównie z przyczyny pieniędzy, które niejednemu uderzyły do głowy. Bracia Montalbo, zawsze tak zgodni, o mało się nie pozabijali, a wszystko dlatego, że jeden z nich, starszy, oszukiwał drugiego przy podziale pieniędzy, i kiedy młodszy się zorientował, wpadł w furię; teraz nazywano ich Kainem i Ablem, każdy przedstawiał swój własny spektakl, i obydwaj na tym tracili, gdyż nowe przedstawienia, jakie przygotowali osobno, nie umywały się do poprzednich.

Masowy najazd turystów również nie dla wszystkich okazał się zbawienny, na przykład dla Margarity Cifuentes: alkad Feliciano zwany Świętym zakochał się w dziewczynie ze stolicy – nikogo nie zdziwiło, że była bardzo milczącego usposobienia – i zdradzając swą małżonkę, wyjawił, że ze świętym nic nie ma wspólnego, za to jest niezłym mądralą, dziewczyna była bowiem bardzo piękna. Alkad myślał, że wszyscy będą stroili głupie miny wobec jego kochanki, lecz wcale tak się nie stało, przyjęli dziewczynę jak prawdziwe błogosławieństwo rodem z niebios, a Margarita Cifuentes, gdy się o tym dowiedziała, zaniemówiła, a ostatnie jej słowa wypowiedziane do męża brzmiały: „Zmiataj mi stąd, nie chcę cię nigdy więcej widzieć". I Feliciano przeniósł się do hotelu Juana Quintany, a dziewczyna ze stolicy przyjeżdżała do niego w Boże Narodzenie i w każdą sobotę, by zostać na niedzielę. Margarita Cifuentes zamknęła się w domu, skąd prawie nie wychodziła, i nie rozmawiała nawet ze ścianami. Niektórym przyszło do głowy, że był to kolejny cud Różowej Panienki. Lecz na nieszczęście dla ojca Federico uczyniła wyjątek w swych ślubach milczenia: była nim spowiedź.

Juan Quintana nadal nie rozmawiał z Józefem Cieślą. Prócz tego, że obraził się, gdyż tamten zmałpował go i zbudował identyczny hotel, teraz wyzywał go od partaczy, skarżył się, że drewniane belki hotelu Pod Różowym Piratem są tak strasznej jakości, że cały budynek aż chodzi. I nie chciał słuchać wyjaśnień Józefa Cieśli, który bronił się, mówiąc, że jak ktoś buduje hotel w takim tempie, niech więcej nie wymaga. Józef Cieśla postanowił, że noga jego nie postanie w karczmie, jaka szkoda, przecież byli dobrymi przyjaciółmi. Juan Quintana poróżnił się także z Albertem Cukiernikiem, któremu podsunął pomysł różowego tortu, cieszącego się tak ogromnym powodzeniem; mógłby przynajmniej sprzedawać go Juanowi Quintanie cośkolwiek taniej. Nie zrobił tak jednak, świnia jedna, nigdy w życiu już ci nie podsunę żadnego pomysłu.

Kiedy przyjechali dziennikarze ze stolicy, by przygotować reportaż o Różowej Wiosce, nawidyjczycy aż się bili, żeby ich umieszczono na fotografiach. Alkad Feliciano powiedział, że on musi figurować jako alkad, Juan Quintana powiedział, że to on miał pomysł, żeby pomalować wioskę na różowo; bracia Montalbo również, niewiele brakowało, a doszłoby do rękoczynów. W ten sposób wszyscy szukali powodu, aby mogli zostać uwiecznieni na fotografii. Dolores, która mówiła, że jej sklep jest najstarszy, Józef Cieśla, który twierdził, że zbudował prawie wszystkie domy, Alberto Cukiernik, bo musiał postawić fotografowi różowy tort, mężczyzna w kapeluszu o wysokiej na metr główce, bo utrzymywał, że jest najbardziej oryginalny z wyglądu. A fotograf, otumaniony przez nawidyjczyków, nie wiedział, co powiedzieć, i ku zdumieniu wszystkich postanowił zrobić zdjęcie osłu Fryderykowi.

To samo zdarzyło się, kiedy znany malarz przyjechał do Navidad, pragnąc namalować mnóstwo obrazów; wszyscy chcieli zostać sportretowani, a wszelkie dyskusje tym razem okazały się bezużyteczne, gdyż w końcu okazało się, że malarza interesowały wyłącznie domy – nigdy nie malował ludzi.

Ponsyjczycy, którzy doskonale znali prawdziwą legendę o Tęczy, gdy usłyszeli o nowej wersji, jaką przedstawiali nawidyjczycy, okrzyknęli ich oszustami. Bacząc, by nie zostali zauważeni, stawali u wjazdu do Navidad, żeby informować przyjezdnych o łgarstwach jej mieszkańców. Aż wreszcie nakrył ich ojciec Federico; tego dnia musiał chyba zapomnieć, że jest księdzem, bo pogonił ich, nakopawszy ile wlezie, z agresywnością, która zdumiała nawet jego samego. Faktycznie ojciec Federico przez jakiś czas chodził niezwykle wzburzony. Przede wszystkim z winy turystów, którzy przychodzili do kościoła jak na targ: pokazywali paluchami Najświętszą Panienkę bez krzty szacunku i porozumiewali się, wrzeszcząc; ksiądz musiał być stanowczy, jesteście w Domu Bożym.

Najboleśniej jednak zapłaciła za zły humor księdza Margarita Cifuentes, która, biedaczka, i tak już dźwigała ciężki krzyż, i opowiadała mu z wszelkimi szczegółami historię kochanki swego męża. Ksiądz nie mógł już z nią wytrzymać, aż wreszcie pewnego dnia stracił cierpliwość i powiedział jej, że doskonale rozumie alkada. Margarita Cifuentes nie mogła uwierzyć w to, co właśnie usłyszała, i od tej chwili nie odezwała się już więcej, nawet po to, by się wyspowiadać. Ojciec Federico gorzko pożałował swych słów i poszedł do domu Margarity, lecz ona nie chciała już o nim słyszeć. Z tej przyczyny ksiądz wiele nocy spędził bezsennie – zaiste, zgrzeszył ciężko i czuł się tak źle, że postanowił wyspowiadać się sam przed sobą, gdyż nie było w wiosce innego kapłana.

Zarobiwszy tak dużo pieniędzy, niektórzy mogli kupić sobie samochody, które, naturalnie, pomalowali na różowo. Alberto Cukiernik też sobie kupił auto, służyło mu jednak niecały tydzień, gdyż jego syn Amadeusz Głuptak zabrał je bez jego wiedzy i rozwalił o ścianę cukierni; było też mnóstwo innych wypadków, bo o prowadzeniu samochodów nawidyjczycy pojęcie mieli raczej blade. Inni chodzili z nadętymi minami, jak ten mężczyzna, który nosił sombrero z główką wysoką na metr, uważał bowiem, że skoro został uwieczniony na fotografii, jest ważniejszy niż amant filmowy.

W owych dniach doña Lucía umarła podczas snu, nareszcie skończyły się jej pienia, opłakali jednak jej śmierć, bo pominąwszy to wszystko, była dobrą osobą. Józef Cieśla zrobił jej różową trumnę, owinięto ją też różowym całunem, nikt nie protestował, bo nie miała rodziny, niech odpoczywa w pokoju. I po raz pierwszy od bardzo dawna nikt nie pomyślał, że oby to Margarita Cifuentes, bo w końcu, od kiedy zamilkła, nikomu nie wadziła.

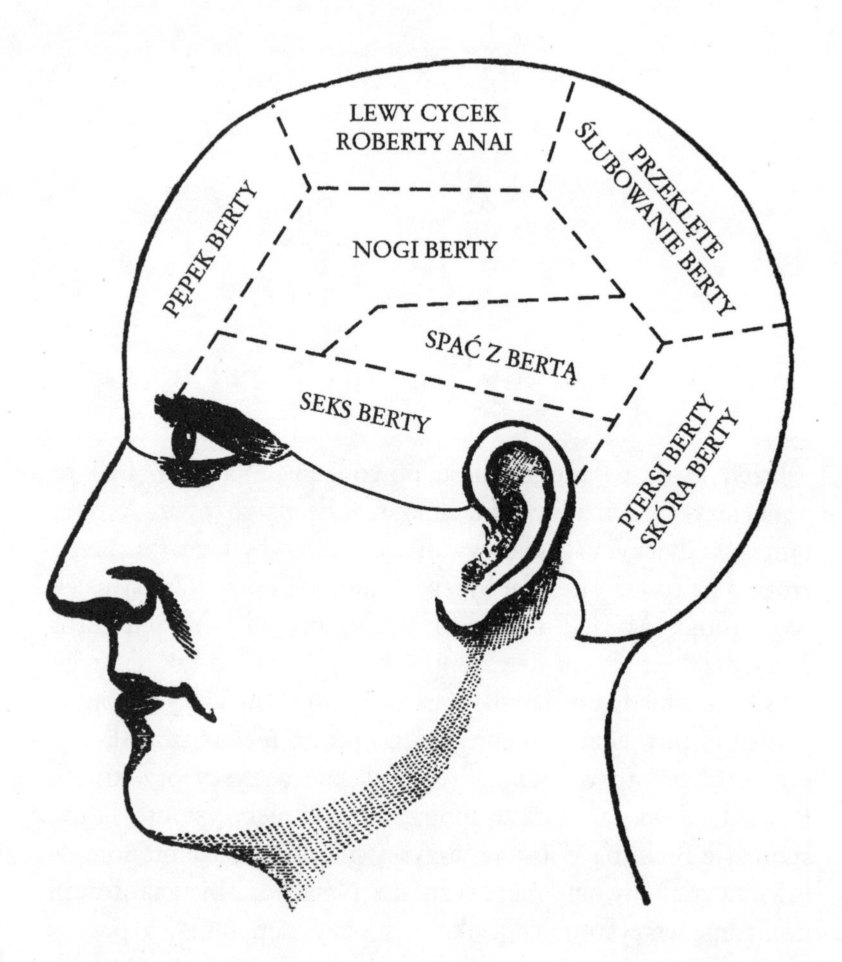

Zakochany Jonasz

Jeżeli ktoś nie mógł znieść powodzenia Navidad, byli to ponsyjczycy. Ten idiotyzm ubierania się na różowo. A poza tym nawidyjczycy zachowywali się, jakby byli ze szczerego złota, a na to już oni, ponsyjczycy, nie mogli pozwolić. Musieli coś zrobić. Myśleli i myśleli wiele dni, aż wreszcie ktoś powiedział, że aż mu się czarno robi na duszy od tak długiego myślenia, a kiedy powiedział „czarno", inny ponsyjczyk spojrzał w niebo i powiedział „niebiesko", i nikt go nie zrozumiał, lecz oto trafił prosto w sedno – tego właśnie wszyscy oczekiwali. Powiedział im, raz jeszcze spojrzawszy w niebo, że oto Ponsa stanie się Błękitną Wioską i wszyscy przyklasnęli temu pomysłowi: wysłali dwóch mężczyzn do Navidad, aby zanotowali dokładnie wszystko, co tylko ich oczy tam ujrzą, a przede wszystkim, uwaga, niech się nie domyślą, jakie mamy zamiary. Zwrócili się także do Jonasza, aby, korzystając z tego, że roznosi pocztę, miał oko na wszystko, cokolwiek zobaczy, lecz chłopak nie życzył sobie żadnych problemów i myśląc cały czas o Bercie, oznajmił, że jest tylko i wyłącznie listonoszem.

Ponsyjczycy z niecierpliwością oczekiwali powrotu swych szpiegów, a kiedy ci opowiedzieli o bardzo wielu spotkanych turystach, postanowili działać szybko. Oficjalnym dekretem zobowiązano wszystkich mieszkańców Ponsy do ubrania się na błękitno, a niektóre domy także miały zostać pomalowane na ten kolor.

Odzianie wszystkich na niebiesko okazało się dziecinnie proste. Wszyscy mieli jakieś ubranie w kolorze niebieskim, błękitu morskiego, turkusu lub granatu; zezwolono na czarne buty, a poza tym ufarbować ubrania na granatowo było bardzo łatwo, zważywszy, że był to ciemny kolor. A ponieważ błękit noszą zarówno mężczyźni jak kobiety, również z tym było o wiele mniej problemów, jeśli nie liczyć kilku mamusiek, którym wydawało się wdzięczne ubierać swe córeczki na różowo. O różowym ani mru-mru.

Jako że początkowo liczba zwiedzających była niewielka, gdyż cały rozgłos zagarniała Navidad, ustawili dwie spośród swych najpiękniejszych kobiet, ubrane na błękitno i bardzo odstawione, na krzyżówce, przed skrętem do Różowej Wioski. Tam zatrzymywały samochody i mówiły kierowcom, by jechali do Błękitnej Wioski, ażeby ich ostatecznie przekonać, ofiarowywały powitalny napój, nazwany wdzięcznie Niebiańskim Eliksirem, w którym smak barwnika przywodził jednak na myśl bardziej piekło niż cokolwiek innego. Jakimś cudem napój nie wywołał żadnego zatrucia, tylko ogromne przerażenie wszystkich, którzy go pili: przez wiele dni mocz miał błękitną barwę, ale heca. Nieszczęsny święty Antoni, patron Ponsy, również stał się ofiarą tych nowych czasów; postanowili wynieść go z kościoła; zastąpiony został przez Najświętszą Panienkę, którą nazwano Błękitną Panienką z Ponsy. Ksiądz był temu przeciwny, nie można w końcu ot, tak sobie, wymyślać Najświętszej Panienki, lecz jego skargi na nic się nie zdały, gdyż wszystko było dopuszczalne, byleby tylko pokonać Różową Wioskę.

W ten sposób w krótkim czasie liczba zwiedzających Navidad spadła blisko o połowę, wywołało to wściekłość nawidyjczyków, kiedy dowiedzieli się o tej nielegalnej konkurencji. Juan Quintana, który miał teraz dwa hotele, doskonale rozumiał, że jeśli nie będzie miał klientów, jest zgubiony – popadnie w ruinę. Po raz pierwszy od chwili otwarcia hotelu ponad połowa pokojów stała pusta. Wpadł w taką wściekłość, że zaczął kopać ścianę, a Roberta Anaya nie miała pojęcia, jak go uspokoić, uważaj, bo ci się tak zrobi jak dziadkowi, i Berta drżała, słuchając, jak Juan Quintana bluzga na ponsyjczyków.

Wszyscy fatalnie na tym wyszli, bary i restauracje, w których ze względu na niewielką liczbę klientów psuło się jedzenie. Alberto Cukiernik nie miał pojęcia, co począć z taką ilością różowego tortu. Nikt też nie chodził do fryzjera ani do cyrulika; kiedy nie ma gości, nie ma po co dbać o siebie, Pedro Ślepiec prawie nie dostawał jałmużny, na dodatek Juan Quintana już go nie zapraszał do karczmy; jedynym, który coś zyskał, był Amadeusz Głuptak, ojciec pozwalał mu bowiem jeść tort z truskawkami, zanim go wyrzucę, niechże sobie dzieciak podje.

Najgorsze, że Jonasz, jak wszyscy jego sąsiedzi, zmuszony został, by ubrać się na niebiesko, w którym to kolorze, Bogiem a prawdą, było mu bardzo do twarzy, gdyż harmonizował z jego oczami. Na nic się nie zdało tłumaczenie, że nawidyjczycy wściekną się na jego widok. Kiedy przybył z pocztą, wielu mieszkańców Navidad obrzuciło go obelgami; wyszli na ulicę, by go sprowokować, lecz przede wszystkim pragnęli dać upust swej złości, zwyzywali go od wszelakich, świnia, skurwysyn, rzezimieszek spod ciemnej gwiazdy. Był pierwszym odzianym na niebiesko ponsyjczykiem, jakiego widzieli, od kiedy rozpoczął się konflikt. Długa Berta, która właśnie zamiatała ganek, przerażona, upuściła bezwiednie miotłę, a Juan Quintana, słysząc wrzawę, wyszedł z karczmy, a Jonasz próbował się bronić, tylko słownie, miał przecież pięćdziesięciu przeciw sobie, to nie moja wina, zmusili mnie, bym przyszedł ubrany na niebiesko, i chciał spojrzeć na Bertę, by poszukać wsparcia swej ukochanej, lecz się nie ośmielił, a alkad Feliciano powiedział, że żaden ponsyjczyk nie ma wstępu do ich wioski, tym bardziej ubrany na niebiesko, a Jonasz nie miał pojęcia, co robić, jestem tylko listonoszem, ani listonosz, ani mleczarz, ani kurwa wasza matka, co was wszystkich urodziła. Dwaj mężczyźni podeszli do niego i aby dać mu nauczkę, zdjęli mu koszulę i spodnie, a ponieważ się rzucał, inni, między innymi Juan Quintana, związali go; tak oto biedny Jonasz został w gatkach i podkoszulku, które szczęśliwie były białe, bo gdyby były błękitne, Bóg jeden wie, co by się stało; i na purpurowego ze wstydu, upokorzonego listonosza spadły nowe obelgi, tym razem o wiele cięższe, a Berta bała się o swego ukochanego i nie zastanawiając się ani chwili, zwróciła się do ojca z błaganiem, by nie był im wrogiem. Wszyscy zdumieli się, słysząc Bertę, która nigdy dotąd nie broniła owego młodzieńca, a ojciec, widząc zapłakane oczy córki, pojął, że jest zakochana w Jonaszu. Juan Quintana aż zaniemówił: jego dziewczynka go oszukała, zdradziła; jego, który ją obdarzył tak wielką czułością, tak wielką miłością, a teraz w jej życiu był inny mężczyzna, na dodatek ponsyjczyk, i ukradł mu córkę. Jeżeli nie zabił Jonasza, to jedynie dlatego, iż Roberta przytrzymała go z całej siły, gdy chłopiec odchodził w ciszy, ze spuszczoną głową, w samej bieliźnie, prowadząc rower o kołach przekłutych przez dzieci, które wrzeszczały za nim raz po raz: „Synowie Ponsy nawet martwi nie są naszego honoru warci". Amadeusz Głuptak zaś stał z rozdziawioną gębą, on przecież także kochał Bertę; poszedł do domu i zaczął walić głową w mur.

A po odejściu Jonasza zebrali się mężczyźni i ogłosili, że Ponsa jest nieprzyjacielską wioską, i postanowili, druzgocącą większością głosów, że od tej chwili zabraniają wstępu do Navidad wszystkim ponsyjczykom, a jeśli któryś złamie ten zakaz, zabiją go.

Juan Quintana wziął córkę pod ramię i zawlókł do domu, ośmieszyłaś mnie wobec wszystkich, dlaczego zakochałaś się w tym sukinsynu z Ponsy, co za wstyd, a Roberta Anaya broniła swej córki, zostaw ją w spokoju, to tylko dziecko, a Berta, widząc ojca tak wściekłego, wyparła się wszystkiego raz i drugi, i tak długo wszystkiemu zaprzeczała, że Juanowi Quintanie błysnęła iskierka nadziei – może to wszystko pomyłka. A zakochanej jakimś cudem udało się powstrzymać łzy; pomogła jej w tym nienawiść, jaką czuła do ojca.

Cała wioska plotkowała, że Długa Berta i Długi Jonasz są kochankami, widziałaś, jak na siebie patrzyli, i co za wstyd dla Juana Quintany i Roberty Anai, którzy żyły z siebie wypruli dla swej córki. Amadeusz Głuptak nie mógł znieść tych komentarzy i pomyślał o swej umiłowanej Długiej Bercie, to nie może być prawda, że są zakochani, i poszedł do Quintanów, żeby rozmówić się z Bertą, i z zewnątrz dobiegały wrzaski jej ojca, który otworzył mu drzwi i zaraz wywalił go kopniakami, idź sobie, jeszcze tylko ciebie nam tu brakowało. I Amadeusz Głuptak oddalił się, ze spuszczoną głową, wściekły i gadający głośno do siebie te te ten Jo Jo Jonasz sku sku skurwysyn, i nie mógł zapomnieć zapłakanych oczu Długiej Berty, spoglądających na tego sku sku skurwysyna.

Pomimo przysięgi Berty, że nie chodzi z Jonaszem, Juan Quintana w dalszym ciągu jej nie wierzył, i kiedy zamknął karczmę, poszedł pod drzewo zakochanych i szukał na nim imienia swej córki. Z początku go nie znalazł i poczuł ogromną ulgę. Nagle jednak przyszło mu do głowy, że obydwoje są bardzo wysocy i być może imię jest gdzieś wysoko na pniu, i wówczas je zobaczył, Jonasz i Berta, jakże mi mogło przedtem nie przyjść do głowy popatrzeć wyżej, i wściekły zaczął kopać drzewo, które wszak niczemu nie było winne, i odrywał korę własnymi dłońmi, byle tylko zedrzeć owe dwa imiona, a czynił to z taką siłą, że ręce jego były całe we krwi.

Kiedy wrócił do domu, Berta była już w łóżku, Wpadł do jej pokoju i spoliczkował córkę, a krew z jego dłoni plamiła pościel, i Roberta Anaya wkroczyła, by uspokoić swego męża, lecz także oberwała. Po raz pierwszy podniósł rękę na swą żonę, męża się nie oszukuje. I Długa Berta leżąca na ziemi, i Roberta na ziemi, i Juan Quintana, który zmusił córkę, by przysięgła, że nigdy, przenigdy nie spotka się już z Jonaszem, tak, przysięgam, i wyszedł z mieszkania, trzasnąwszy drzwiami, i zszedł do karczmy, by się napić whisky, nigdy dotąd tak bardzo tego nie potrzebował, i zapłakał, straciłem moją córeczkę, i pożałował tego, że ją uderzył, to przecież tylko dziecko, lecz wcale za to nie pożałował, że uderzył żonę, męża się nie oszukuje. I Juan Quintana poczuł się nieskończenie samotny, zbliżył się do nogi pradziadka, przytulił się do niej, i doznał wielkiej pociechy. Biedny pradziadek, stracić nogę, to dopiero musiało być dla niego bolesne. Wtedy właśnie pomyślał, że musi być coś gorszego niż utrata nogi: stracić córkę.

Dziewczynka szlochała w ramionach matki, dlaczego życie jest tak niesprawiedliwe, tak bardzo kocham Jonasza, co za różnica, że jest z Ponsy, skoro jest dobrym człowiekiem, a deszcz, który zaczął padać, wtórował jej smutkowi; i Roberta Anaya, która także czuła się zraniona, ale teraz ważniejsza była jej córka, i nie możesz go już widywać, i Berta musiała przysiąc również matce, że nigdy, przenigdy nie spotka się już z Jonaszem. Tej nocy, gdy Berta już się położyła, mogła myśleć jedynie o tym, jak strasznie nienawidzi swego ojca i jak strasznie kocha Jonasza, i czuła się bardzo cierpiąca, lecz nie z powodu lania, jakie właśnie dostała, tylko że taki okazał się jej ojciec. I podczas gdy on nadal tulił się do nogi pradziadka, Berta tuliła się do poduszki i przypomniała sobie nogi Jonasza, które widziała po raz pierwszy, i na jej buzi pojawił się cień nieśmiałego uśmiechu, kiedy pomyślała, jakie były piękne, i spojrzała przez okno: przynajmniej przestało padać, księżyc rozciągnął na niebie swe królowanie i od jego blasku rozradowała się twarz Berty, która pogłaskała różową wstążkę zawiązaną na nadgarstku i przypomniała sobie ślubowanie, jakie złożyła Najświętszej Panience, skoro je wypełniam, pomóż mi, Panienko moja, jakież niesprawiedliwe jest to życie.

Amadeusz Głuptak także nie zdołał tej nocy zasnąć, nie mógł wyrzucić z serca Długiej Berty, zatykał sobie uszy, gdyż zdawało mu się, że nadal słyszy komentarze, jakie wszyscy wygłaszali o kochankach, te te ten Jo Jo Jonasz sku sku skurwysyn. A Alberto Cukiernik usłyszał go mówiącego głośno; na dodatek zarobił jeszcze u ojca prztyczka za chamstwo.

Jonasz zaczekał, aż zacznie się ściemniać, by powrócić do Ponsy, co za wstyd, jak mnie zobaczą w tym stanie, lecz dwóch mężczyzn nakryło go po drodze, co ci się stało, nic, i mężczyźni z początku śmiali się, bo wyglądał naprawdę zabawnie; już miał przygotowaną odpowiedź, okradli mnie w drodze powrotnej. Nie uwierzyli mu jednak i było jasne, że to zrobili nawidyjczycy, mimo że Jonasz zaprzeczył temu raz i drugi, i poszedł do domu, podczas gdy obaj mężczyźni pobiegli opowiedzieć całej wiosce, co też nawidyjczycy zrobili listonoszowi.

Następnego ranka Roberta Anaya, po laniu, jakie dostała, obudziła się z mdłościami, parę razy wymiotowała, bolało ją wszystko i musiała pozostać w łóżku. Juan Quintana czuł się troszkę winny, lecz nic nie powiedział, męża się nie oszukuje. I zabronił wychodzić Długiej Bercie, ona jednak musiała zobaczyć Jonasza i powiedziała ojcu, że musi iść na lekcję czytania do Amadeusza Głuptaka, i po długich namowach zdołała go przekonać, skoro to Amadeusz Głuptak, to w porządku.

Berta poszła do Amadeusza, a on poczuł się uszczęśliwiony na jej widok i zdumiał się bardzo, gdy zobaczył, że Berta przyniosła książki do nauki czytania, ale tego dnia miało nie być lekcji. Musisz mi pomóc, Amadeuszu, muszę go zobaczyć, i Amadeusz zrozumiał, że Berta chciała zobaczyć tego skurwysyna Jonasza, i odmówił kategorycznie. Lecz Berta przytuliła się do niego, pamiętaj, że jesteśmy bratem i siostrą, rodzeństwo sobie pomaga, proszę, pomóż mi, nie mogę żyć bez niego, odprowadź mnie do końca wioski, będziemy udawać, że ćwiczymy czytanie, i Amadeusz Głuptak, który był absolutnie niezdolny odmówić czegokolwiek Bercie, szczególnie kiedy widział jej zapłakane oczy, powiedział, że jej pomoże, i Berta go ucałowała, dziękuję, jesteś najlepszym przyjacielem, jakiego mam. Kiedy dotarli do wyjścia z wioski, ukryli się za krzakami i Berta posadziła Amadeusza na olbrzymim głazie, i powiedziała mu: czekaj tu na mnie, a gdy się oddalała, popatrywała jeszcze za siebie, czy aby za nią nie idzie. A Amadeusz Głuptak cichutko płakał i gładził to miejsce na policzku, które Berta ucałowała.

Kiedy Berta przybyła do Niebiańskiego Zakątka, Jonasza nie było, więc pomyślała, że być może nigdy więcej go nie zobaczy; pojawił się jednak chwilę później i utonęli w cudownym pocałunku, nikt na świecie nie zdołałby powstrzymać ich miłości. Od tej chwili uczucie dwojga kochanków zogromniało ponad wszelką miarę; niemożliwa miłość zawsze jest jeszcze piękniejsza. Po tym, co zaszło poprzedniego dnia, Jonasz miał całe ciało obolałe i nie przebudziła się w nim dzika bestia, jaką w sobie nosił, i był szczęśliwy, otrzymując pociechę dziecinnych i kobiecych zarazem pieszczot Berty. Tego dnia przemawiali do siebie wyłącznie pieszczotami i pomyśleli, że absolutnie muszą coś zrobić, jeżeli chcą nadal być razem. Berta czuła się bardzo nieszczęśliwa, wiedziała, że będzie musiała wybierać między swą rodziną a Jonaszem, biedny tatuś, mimo wszystko kochała go, jeżeli odejdę, rozpacz go zabije, i biedna mateńka.

Amadeuszowi Głuptakowi owa godzina, gdy czekał na Bertę, zdawała się wiecznością, miał też czas na to, by pomyśleć, że nigdy w życiu nie pomoże jej więcej spotkać się z tym pooonsyjczykiem sku sku skurwy sy sy synem. Kiedy zakochani się rozstali, Berta znalazła Amadeusza Głuptaka w tym samym miejscu, w którym go pozostawiła, pocałowała go w czoło, podziękowała za pomoc i powiedziała mu, że jest najlepszym bratem na świecie, i obydwoje wrócili do wioski. Berta kazała mu przysiąc, że nic nikomu nie powie, i znów go przekonała, aby następnym razem z nią poszedł.

Dotarłszy do domu, Amadeusz Głuptak jął walić głową w ścianę, cóż ze mnie za idiota, i nie chciał już być bratem Berty, i był wściekły sam na siebie i te te tego sku sku skurwysyna Jonasza, a darł się tak straszliwie, że Remedios musiała zawołać Alberta, dzieciak rozwali sobie łepetynę. I Amadeusz Głuptak, który już tyle razów podarował swej głowie, otrzymał drugie tyle od swego ojca: trochę na uspokojenie, a dwa dodatkowe za chamstwo.

Tej nocy Długa Berta popatrzyła ze smutkiem na swych rodziców, tak jakby miała ich stracić, i chciała ich uściskać, lecz nie uczyniła tego. Jej matka leżała w łóżku, bardzo obolała po laniu, jakie dostała. Nie mogła nawet pocałować mamy na dobranoc, bo ojciec egoista, zamiast zająć się Robertą Anayą, znów wziął córkę na bok, żeby przepytać o listonosza, i groził, że go zabije, jeżeli ujrzy ich razem. Berta zamknęła się w swej izdebce, dlaczegóż to życie jest tak niesprawiedliwe.

Juan Quintana postanowił wezwać lekarza. Upłynęły trzy dni od chwili, gdy Roberta Anaya zaniemogła, i z każdą godziną czuła się gorzej. Nie chciał wzywać lekarza z Ponsy, gdyż wobec tego, jak miały się sprawy z sąsiednią wioską, nie byłoby to właściwe, i zdecydował, że pojedzie po niego do Catapalos, wioski położonej nieopodal Navidad, tuż za Ponsą. Lekarz badał Robertę przez blisko godzinę. Juan Quintana czekał niecierpliwie, obawiał się bowiem, że to wszystko z powodu lania, jakie sprawił swej żonie.

Kiedy lekarz obwieścił mu nowinę, Juan Quintana zaniemówił. Uszom własnym nie wierzył. Roberta Anaya była brzemienna. Juan Quintana stracił dawno wszelką nadzieję, zważywszy, iż Roberta Anaya miała już trzydzieści osiem wiosen. Długa chwila upłynęła, zanim zareagował, spoważniał tak bardzo, iż Roberta sądziła, że mężowi się to wcale nie podoba. Lecz Juan Quintana czuł się nieskończenie szczęśliwy, drugie dziecko. Ucałował ją, zapłakał ze wzruszenia, znowu miał zostać ojcem. Spoglądał na Robertę Anayę z czułością, będzie musiał bardzo o nią dbać podczas ciąży i nie pozwoli jej jeść drożdży, niechże dziecko nie wyjdzie takie długie, i był przekonany, że będzie to chłopczyk, a nazwą go jego imieniem – Juan Quintana;

rodowe nazwisko nie zaginie, nie męcz się, Roberto, musisz odpoczywać, ja wszyściutko zrobię, i ucałował ją, i czuł się tak szczęśliwy, że nawet poprosił ją o wybaczenie za to, że ją pobił, ale obiecaj mi, że zawsze będziesz mi mówiła prawdę, męża się nie oszukuje.

I chciał, żeby świat cały się dowiedział, że on, Juan Quintana, zostanie ojcem. Czuł się najszczęśliwszym człowiekiem na świecie, on, który zawsze dotąd uważał, że szczęście to jakaś bzdura, teraz wiedział, iż był w błędzie. I kto wie, a nuż po tym synu, który już był w drodze, będą mogli mieć więcej dzieci, nareszcie – ową armię synów, o jakiej zawsze marzył, choćby nawet musiał się wyrzec lewej piersi Roberty. I zapomniał o swych kłopotach z hotelem, o Ponsie, o zmartwieniu, jakiego mu przysporzyła córka, zapomniał nawet o Jonaszu, i zanim wyszedł na ulicę, by obwieścić wszem i wobec dobrą nowinę, wstąpił na ganek karczmy i ucałował nogę pradziadka, i powiedział mu: kocham cię i dam ci prawnuka, w dodatku będzie to chłopiec. I krzyknął, że Roberta jest brzemienna, raz i drugi, i wszyscy mu gratulowali, wiedząc, jak bardzo mu na tym zależało, nie mogli jednak okazać wielkiej radości, byli bowiem wielce zmartwieni, widząc, jak nadal maleje liczba zwiedzających wioskę.

Mężczyźni zgromadzili się przed kościołem i postanowili, że trzech spośród nich w imieniu wszystkich nawidyjczyków pójdzie do Błękitnej Wioski i złoży u ponsyjczyków zażalenie. Najbardziej radykalni, jak Alberto Cukiernik, byli za tym, by wypowiedzieć im wojnę, lecz alkad rzekł, że nikt nie ma ochoty walczyć i że najpierw będą działać po dobroci. Kiedy spytali o zdanie Juana Quintanę, odrzekł, że w tym dniu może myśleć tylko i wyłącznie o synu, który przedłuży jego ród i nazwisko. W tej samej grupie znajdował się Józef Cieśla i Juan Quintana – w tak znakomitym humorze, że o mały włos się nie pojednał z przyjacielem; zamierzał mu wybaczyć, uściskać go, ostatecznie to jego najlepszy przyjaciel, w końcu jednak tego nie uczynił, tamten tak bardzo źle się z nim obszedł, i znowu duma zwyciężyła.

Juan Quintana poszedł poszukać Długiej Berty, by podzielić się z nią swym szczęściem. Chciał jej także powiedzieć, że choć będzie miał więcej dzieci, będzie ją nadal kochał ponad wszystko w świecie. Roberta Anaya powiedziała mu, że Berta poszła na lekcję z Amadeuszem Głuptakiem, muszę ją znaleźć, i poszedł do cukierni, a od Remedios się dowiedział, że ostatnio uczyli się w lesie. Juan Quintana pomyślał, że pójdzie poszukać Berty, lecz, szczęściem dla niej, postanowił w końcu wrócić do domu, nie chciał zostawiać Roberty samej, przecież muszę o nią dbać.

Tak samo jak w zeszłym tygodniu, Amadeusz Głuptak i Długa Berta skierowali się ku obrzeżom wioski. Berta poprosiła, żeby na nią poczekał, a on udał, że się zgadza. Berta miała być z powrotem mniej więcej za godzinę, bo tyle trwała lekcja, a potem mieli wrócić razem do wioski, ponieważ Berta czym prędzej chciała znaleźć się w domu, aby nie wzbudzać podejrzeń. Dla Amadeusza Głuptaka owa godzina zdawała się nie mieć końca, nie trzeba było szczególnej bystrości, żeby wyobrazić sobie, że zakochani będą się tulić do siebie i całować. Pie pie pierdolę te te tego Jo Jo Jonasza, sku sku skurwysyna. Musiał coś zrobić. I tego dnia postanowił pójść do lasu i śledzić Bertę.

W Niebiańskim Zakątku Jonasz i Berta planowali ucieczkę, nie mieli innego wyjścia. Nie było dla nich ważne, dokąd pójdą, byleby tylko mogli być razem, kto wie, może będą mogli podróżować po świecie, przemierzą wszystkie kraje, których nazwy Berta znała ze znaczków pocztowych, i rozpoczną nowe życie: wiedzieli, że nie będzie to łatwe, ale na pewno im się uda.

Jonasz zamierzał pracować, robić, co się nadarzy, dniem i nocą, aby tylko Bercie niczego nie zabrakło, a jak już będziesz pełnoletnia, pobierzemy się. Bertę przerażał nieco pomysł, że ma z nim odejść z domu, pamiętała, co matka opowiadała o mężczyznach, i pogładziła różową wstążeczkę, którą miała na nadgarstku, i zmusiła Jonasza do złożenia przysięgi, że nie będzie się z nią kochał, póki nie będą małżeństwem, by wypełnić ślubowanie. On zgodził się, jedyne, co jest naprawdę ważne, to być razem. I Berta poczuła się bardzo dumna z Jonasza, który tak ją kochał, nie mogła jednak przestać myśleć o swych rodzicach, w dodatku jestem jedynaczką, a kiedy spojrzała w niebo, od wielu dni zachmurzone, zdało jej się, że widzi chmurę, która miała kształt twarzy i przypominała niesłychanie oblicze jej ojca, mimo wszystko go kochała. Z jego powodu była jednak zmuszona do opuszczenia wioski, dlatego nienawidziła go zarazem, pokazał, że jej szczęście nie jest dla niego ważne, jej ojciec był egoistą, i Berta pozwoliła się całować, i na parę chwil zapomniała o swym ślubowaniu. Potrzebowała pociechy, pocałunków Jonasza. Ten wykorzystał słabość dziewczyny, by ją namiętnie całować, i choć doskonale pamiętał o ślubowaniu, nic nie powiedział, zwłaszcza gdy poczuł jej piersi, a jego ręka wślizgnęła się między jej uda. Jak cudownie.

Amadeusz Głuptak tego dnia ich widział, ukryty za krzakami. Nie mógł znieść widoku swej umiłowanej Berty tulącej się do tego skurwysyna ponsyjczyka. Lecz nade wszystko nie mógł patrzeć, jak Jonasz wkłada jej rękę. Chciał wyładować całą swą wściekłość, waląc głową w drzewo, które niczemu nie było winne, i czynił to z taką furią, że cały pień drżał. Kiedy Jonasz i Berta usłyszeli hałas, przerazili się, sądząc, że ktoś ich nakrył, musimy stąd iść. Było już jednak zbyt późno. Amadeusz Wścieklak podbiegł do Jonasza, chciał go zabić, rzucił się na niego, a przerażona Berta próbowała ich rozdzielić i błagała

Amadeusza Głuptaka, zostaw go, nie rób mu krzywdy, i wrzaski obu młodzieńców słychać było nawet na szosie.

Trzej powracający z Ponsy nawidyjczycy usłyszeli jakieś ryki dochodzące z lasu. Dopiero co rozmawiali z władzami sąsiedniej wioski, potraktowano ich per noga, ponsyjczycy oznajmili bowiem, że wolno im robić, co się żywnie podoba. Pobiegli do Niebiańskiego Zakątka, gdyż było oczywiste, że tam się biją. Berta zaczęła ich błagać, by rozdzielili chłopców. Z początku zawahali się, w końcu Jonasz był ponsyjczykiem, lecz znali Amadeusza Głuptaka i jasne było, że gotów jeszcze zrobić coś strasznego. Listonosz leżał na ziemi, a Amadeusz Głuptak siedział na nim, niewiele brakowało, a byłby go udusił. We trzech udało im się obezwładnić Amadeusza, który jąkał się jak nigdy w życiu, było jednak oczywiste, iż mówił, że zabije Jonasza, więc aby go uspokoić, powiedzieli mu, że zaraz wymierzą sprawiedliwość, i złapali listonosza, damy ci zasłużoną nagrodę, a Berta krzyczała, wyła, błagała, zostawcie go w spokoju, nic wam nie zrobił, i we trójkę zawlekli młodzieńca do wioski. Amadeusz Głuptak próbował w spojrzeniu Berty znaleźć zrozumienie, lecz oczy jej przepełnione były nienawiścią, i poczuł głęboki ból, a teraz Berta tłukła go po całym ciele i wrzeszczała: nienawidzę cię, nienawidzę, nienawidzę.

Zanim dotarli na główną ulicę, niebo pokryło się ciemnymi chmurami; Berta, szlochając, szła za nimi. Nawidyjczycy byli oburzeni, że widzą u siebie listonosza i chcieli wygarbować mu skórę, by pokazać sąsiedniej wiosce, że to nie są czcze pogróżki. I na domiar nieszczęścia zaczęło padać. A Berta, klęcząc na ziemi, błagała o litość, patrząc na swego ojca. Lecz Juan Quintana zdawał się głuchy, nieugięty wobec błagań swej córki, mało tego, chciał pokazać wszystkim, jaki jest silny i dołączył do grupy żądnych zemsty.

Amadeusz Głuptak nie mógł znieść widoku płaczącej Berty, więc zamknął się w karczmie, wypił whisky i zatkał sobie uszy, by nie słyszeć jej krzyków, w sercu jednak słyszał nadal Bertę powtarzającą nienawidzę cię, nienawidzę, raz i drugi, i poczuł się jak Judasz, który zdradził Jezusa, i wypił drugą whisky, gdyż jedynie alkohol mógł mu przynieść ulgę w głębokim bólu.

Ojciec Federico usiłował uspokoić swych parafian, nie było jednak na nich żadnego sposobu. Roberta Anaya podeszła do córki, która nadal klęczała przed ojcem, i pomogła jej się podnieść. Berta, zrozpaczona, przytuliła się do matki, a w tym samym momencie ktoś uderzył Jonasza w bok i listonosz upadł na ziemię z okrzykiem bólu. I zupełnie jakby był jakimś złoczyńcą, kopali go, obrzucali kamieniami, pluli na niego, gdy tymczasem Berta płakała nieutulona, krzycząc do ojca, żeby coś zrobił, na miłość boską. Lecz Juan Quintana nic nie robił i biedny Jonasz nadal otrzymywał kopniaki, a jego twarz spływała krwią. Berta podeszła do Jonasza, przytuliła się do niego, pocałowała go namiętnie w usta, żeby pokazać wszystkim, jak wielka jest jej miłość. Na parę chwil cała wioska oniemiała, a Zakochana Berta jeszcze raz błagała ich o litość, a jej usta, pomalowane krwią, były intensywnie purpurowe, boleśnie piękne.

Amadeusz Głuptak, podniecony alkoholem, pojawił się znów na ulicy: owładnęła nim nieludzka wściekłość, gdy ujrzał Bertę całującą Jonasza; tym razem nie zdołał się powstrzymać, złapał nogę pradziadka i skierował się ku listonoszowi; oczy jego płonęły, ramiona poruszały się bez kontroli, serce oszalało. Juan Quintana odgadł zamiary Amadeusza, który ruszył w kierunku kochanków z różową nogą pradziadka, i obawiając się, że cios dosięgnie jego córki, chciał ją oderwać od Jonasza.

I wtedy właśnie Amadeusz Głuptak uniósł oburącz drewnianą nogę, lecz zamiast uderzyć w głowę Jonasza, zadał cios Juanowi

Quintanie, który na próżno usiłował oderwać Bertę od ukochanego. Tak oto Juan Quintana padł na ziemię, niczym rażony gromem, z głową w koronie krwi.

Zapadła grobowa cisza. Matka i córka tuliły do siebie ciało Juana Quintany, z którego uszło już życie. Berta zlodowaciała, podczas gdy prąd polarnego powietrza przebiegł przez całą wioskę, i w okamgnieniu krople wody zmieniły się w płatki śniegu. Jonasz nie czuł już bólu swych ran, zamknął oczy, myśląc, że to wszystko zły sen, i wtedy poczuł jakieś uderzenia, wstrząsające jego ciałem; to była Roberta Anaya, która krzyczała do niego, żeby sobie poszedł na zawsze, tylko nigdy nie wracaj, a Jonasz, dobywając sił ze słabości, wstał, tak jak mógł, nie czuł nawet swego zakrwawionego ciała i oddalił się chwiejnym krokiem, a nikt nie odważył się przemówić słowa.

I Juan Quintana, niech spoczywa w pokoju, na pewno tak czynił po umęczeniu w ostatnich dniach. A Berta nie chciała się od niego oderwać i musieli go wyrwać siłą z jej ramion. Józef Cieśla przytulił ją, a wówczas poczuł, że ciało dziewczyny jest zimne jak blok lodu, była niczym kamienna statua, jakiś bezwładny byt, nawet jej oczy nie mogły już płakać.

Amadeusz Głuptak tymczasem znikł z wioski, a nikt tego nie zauważył. Teraz wszyscy patrzyli na jego rodziców: Remedios, znieruchomiałą, bez żadnej reakcji, i Alberta, który gdy poczuł, że jest obserwowany, wydał okrzyk i zawołał, że zabije swego syna. I Remedios, która zaczęła płakać, i Albert, co się wydawał tak twardym mężczyzną, także jął płakać, obydwoje przytuleni do siebie w tej łez dolinie.

Choć wszyscy zachowywali się tak, jakby nie zauważyli, że pada śnieg, po raz pierwszy zdarzyło się to w Navidad i w całej okolicy. Nareszcie Navidad okazała się godna swej nazwy oznaczającej Boże Narodzenie. W innych okolicznościach śnieg stałby się podstawowym tematem rozmów, lecz, mając nieboszczyka w samym środku wioski, nie zwracali na to zjawisko najmniejszej uwagi. Jedynie kilkoro dzieciaków odnotowało pojawienie się śniegu, wyrażając zdumienie i radość, zostały jednak natychmiast uciszone przez swych rodzicieli. Mimo iż śnieg padał jedynie przez krótką chwilę, niezwykłe zimno miało towarzyszyć nawidyjczykom w następnych dniach.

Jonasz, zanim dotarł do swej wioski, resztką sił przemył sobie rany, niewiele jednak zdołał uczynić, by ukryć ślady uderzeń na swym ciele, sińce na twarzy, spuchnięte wargi, kiedy więc znalazł się w Ponsie, nie udało mu się uciec przed spojrzeniami ciekawskich. Miał przygotowane wyjaśnienie, zaatakował mnie wilk, lecz nikt mu nie uwierzył, gdyż w okolicy nie było wilków, i zrozumieli, że to, co mu się przydarzyło, znów miało coś wspólnego z Navidad. Zadręczali go tyloma pytaniami, że aby go wreszcie zostawili w spokoju, musiał się przyznać, iż był w sąsiedniej wiosce, podkreślał jednak, że to on był wszystkiemu winien, a w końcu, gdy dotarł do domu, przytulił się do ciotki Enriquety. Biedny Jonasz musiał się komuś zwierzyć, więc płacząc jak dziecko, opowiedział jej wszystko, co się wydarzyło; jakże oburzona była ciotka na tych z Navidad! Gdy Enriqueta obmyła Jonaszowi rany i zmusiła go, by się położył, wyszła z domu gotowa opowiedzieć wszystko sąsiadom, choć przyrzekła, że nie piśnie nikomu ani słówka. Przeklęci nawidyjczycy, takie syny.

Owej nocy kobiety i mężczyźni w Navidad opłakiwali śmierć Juana Quintany; właśnie teraz, kiedy tak się cieszył ciążą swej żony! Jedynymi, które nie płakały, były właśnie brzemienna Roberta i Długa Berta, która całkiem zaniemówiła. Mózg jej stał się jak gdyby białą kartą, nie mogła nawet myśleć o Jonaszu. Roberta Anaya także trwała w bezruchu przy drewnianej trumnie, cały swój ból kryjąc wewnątrz duszy. A Józef Cieśla, który czuł się złamany – oto jego najlepszy przyjaciel odszedł na zawsze, zanim zdążyli się pojednać – postanowił podarować wdowie trumnę, która, jak zdecydował, musiała być dębowa, a ze względu na cenę nikt nie mógł sobie na taką pozwolić; przynajmniej tyle mógł uczynić. Juan Quintana jak najbardziej na nią zasługiwał. Józef Cieśla zbliżył się doń i przemawiając jak do żywego człowieka, poprosił go o wybaczenie za to, że zbudował drugi hotel i we wszystkim go naśladował, wybacz mi. Również Pedro Ślepiec pragnął pożegnać się z Juanem Quintaną, który tak dobrze się do niego odnosił, był jednak tak bardzo przejęty, że zapomniał poprosić kogokolwiek, żeby mu pokazał, gdzie dokładnie stoi trumna, i o mały włos do niej nie wpadł.

Biedna Roberta nie miała żadnej chęci do życia, choć wszyscy próbowali dodać jej otuchy, nosisz w sobie syna, musisz być silna. Żal też było wszystkim rodziców Amadeusza Głuptaka, którzy kompletnie upadli na duchu; Remedios leżała w łóżku i nie chciała nic wiedzieć o całym bożym świecie, i płakała, podczas gdy kobiety próbowały jej tłumaczyć, że nie była winna tego, co się wydarzyło; Remedios jednak mówiła, że to jej własny syn i nie mogła przestać płakać. A Alberto Cukiernik nie chciał z nikim rozmawiać i przyszło mu do głowy, że lepiej zabrać się do robienia ciastek, przy robocie przynajmniej człowiek mniej myśli.

Berta także pragnęła umrzeć, na domiar wszystkiego dowiedziała się, że jej matka jest brzemienna, i cóż my teraz poczniemy, moja biedna mamusiu i biedny ojcze, który jesteś w niebie; przypomniała sobie również swą przyjaciółkę Grację, z całą pewnością się spotkali, a także pradziadka. I Berta pomyślała, że skoro jest najwyższa, jest trochę bliżej swego ojca. Wtedy właśnie popatrzyła na niebo: nie do wiary – chmury zniknęły, ustępując miejsca rozgwieżdżonemu firmamentowi. Kilka gwiazd świeciło najjaśniej, rysując twarz Juana Quintany, jakaż niesprawiedliwa jest śmierć.

Zgodnie z jego wolą pochowano go z nogą pradziadka, a nuż staruszkowi będzie potrzebna w niebie, a komentarzy na jej temat było bez liku, w końcu to ona przyczyniła się do jego śmierci. Zanim zamknięto trumnę, Roberta Anaya poprosiła o chwilę sam na sam z Juanem Quintaną. Zbliżyła się doń, rozpięła stanik i wyjęła swą lewą pierś i choć nie była to bynajmniej niedziela ani święto, ofiarowała mu ją, trzymając tuż przy jego ustach, aby mógł ją poczuć. I wydało się Robercie, że Juan Quintana ssał jej pierś, gdyż coś nim wstrząsnęło od środka, i od tej pory jej piersi wydawały się o wiele mniejsze, ktoś nawet powiedział, że lewa gdzieś znikła, czego nie sposób było dowieść, zważywszy, że nikt nie widział jej nagiej.

Roberta Anaya ubrała się na pogrzeb na czarno, co sprawiło, iż niektórzy zadrżeli na myśl o tym, że oto ślubowanie jest łamane. Chociaż usiłowali ją przekonać, że żałobę nosi się w sercu, odmówiła pójścia w różowym stroju i nikt nie ośmielił się jej sprzeciwić, wyglądała bowiem tak, jakby miała jakiś atak i nie wydawała się skora do wyjaśnień; zaczęła krzyczeć, że winę za wszystko ponosi przeklęte ślubowanie złożone przez wioskę, nie mów nam tu w taki sposób o naszej Różowej Panience.

Pogrzeb Juana Quintany był ogromnie wzruszający i przepełniony bólem: ojciec Federico w homilii wspominał Juana Quintanę jako sprawiedliwego i dobrego człowieka, którego nowatorskie pomysły tak wiele znaczyły dla Navidad. Józef Cieśla uśmiechnął się, wyobrażając sobie, jak Juan Quintana przeprowadza w niebie rewolucję: na pewno pogada z Panem Bogiem i poradzi mu, jak odebrać klientów piekłu i pozyskać ich dla niebios. A kościelne dzwony już się nie odezwały, gdyż ich głos nazbyt przypominałby parafianom Amadeusza Głuptaka, który, naturalnie, nadal nie dawał znaku życia.

Kiedy wyruszyli na cmentarz, pojawił się Alberto Cukiernik, i żałość brała na niego patrzeć; z wyrazem przygnębienia na twarzy, od stóp do głów ubielony mąką – calutką noc piekł ciastka. Ukląkł przed Robertą Anayą i poprosił o wybaczenie, czemuż to nie mnie zabił. I nie było serca, które by nie zadrżało na widok owego klęczącego człowieka, zawsze wyniosłego, porywczego i pochmurnego, tak jak teraz. Ojciec Federico zbliżył się do niego, pomógł mu się podnieść i powiedział, żeby poszedł do domu; nie godzi się, aby Remedios była sama.

Podczas gdy odbywał się pogrzeb Juana Quintany, mieszkańcy Ponsy zebrali się, wielce rozdrażnieni i rozgoryczeni, usłyszawszy to, co im opowiedziała ciotka Jonasza, i postanowili, że zablokują szosę; w ten sposób Navidad zostanie odcięta od świata. Jeszcze tego samego dnia duża grupa mężczyzn tam się udała; ścięli pół tuzina drzew, których pnie położyli w poprzek drogi.

Kiedy Roberta Anaya wróciła do domu, wprost patrzeć nie mogła na ściany, krzesła, podłogę – wszystko to, co dzieliła z mężem przez tyle lat. A Berta, która tak bardzo potrzebowała matczynego wybaczenia, przytuliła się do niej i przysięgła, że jej nigdy nie opuści. Roberta nawet na nią nie spojrzała, a kiedy wreszcie to uczyniła, było to jeszcze gorsze, jej wzrok pełen był nienawiści. W ataku szaleństwa matka zaczęła tłuc z wściekłością Długą Bertę, oskarżając ją o wszystko, co się wydarzyło, wrzeszcząc jak ktoś, kto postradał już wszelką nadzieję; obudziła wszystkich sąsiadów, którzy stłoczyli się wokół domu, by zobaczyć, co się dzieje. Berta próbowała matkę uspokoić, nie było jednak na nią sposobu, i teraz Roberta Anaya waliła we wszystko, co było wokół niej, w krzesła, ściany, stoły, i krzyczała do córki, że jej nienawidzi, że to przez nią została teraz bez męża, że będzie miała dziecko bez ojca, niech sobie idzie, i że nie chce jej już nigdy w życiu widzieć.

Długa Berta, szlochając, wybiegła z domu, zaraz po tym, jak zaczął padać ulewny deszcz. Błąkała się całe godziny, nie wiedząc ani dokąd pójdzie, ani czego pragnie, ani co właściwie robi na tym dziwnym świecie, aż noc zapadła, a ona nadal uciekała od wszystkiego, od smutku, od niesprawiedliwości, od lęku, a teraz szła szosą i ujrzała białego konia gdzieś w oddali, i pomyślała, że na pewno na jego grzbiecie siedzi Długi Jonasz, który przybył, by ją uratować, jak we śnie z drzewem, i stanęła na środku drogi, by mu dać znak, że oto jest. Dopiero gdy koń był dosłownie o parę metrów, zdała sobie sprawę, że to biały samochód, który o mało jej nie przejechał.

Tak oto Berta, kompletnie wyczerpana, tonąca w deszczu i cierpieniu, dotarła do Ponsy, a musiało już być bardzo późno, gdyż ulice całkiem opustoszały; pociła się, miała spuchnięte stopy, skronie jej pulsowały, bolało ją tak bardzo, aż przestała czuć ból, i skierowała się ku domowi swego ukochanego. Wiedziała, że znajdował się nad cukiernią, nie było trudno go znaleźć, zaczęła walić w drzwi, wykrzyknęła imię Jonasza, i ciotka w nocnej koszuli wyszła, by otworzyć, i zrozumiała, że to musi być ta dziewuszka, w której Jonasz się zakochał. Berta prawie nie mogła słowa wymówić, dysząc ciężko spytała o Jonasza, a ciotka Enriqueta patrzyła na nią, nie wiedząc, co odpowiedzieć, i Berta weszła do domu, a że nie był zbyt duży, szybko znalazła ukochanego. Jonasz był w swym małym pokoiku; ucałowali się: cierpienie i miłość złączyły się w jedno, tak jak ich ciała. Berta powiedziała, że chce iść do Groty Wieloryba, a Jonasz popatrzył na nią ze zdumieniem, lecz powtórzyła raz jeszcze, że chce iść do Groty Wieloryba.

Zakochani, trzymając się za ręce, wyszli z domu; ciotka zawołała do Jonasza, żeby nigdzie nie szedł, lecz oni, w ciemnościach nocy, skierowali się ku górze i zaczęli się wspinać po skalistym zboczu, a kiedy dotarli na miejsce, Berta zobaczyła na własne oczy, że w rzeczy samej wejście do groty przypominało paszczę wieloryba. Utonęli w długim pocałunku, tak pełnym pożądania, iż tego dnia ani Jonasz, ani Berta nie zdołali poskromić dzikich bestii, jakie w sobie nosili, i rozebrali się, i ciała ich się splątały, i całowali się, i Berta dostała gęsiej skórki, gdy poczuła jego ciało, i kochała, i pozwoliła się kochać, i krzyczała, nie tylko z rozkoszy, również z wściekłości, a echo powtarzało ich zwierzęce dyszenie, ich słowa miłości, kocham cię, kocham cię, jeszcze, jeszcze, całuj mnie, ach, całuj. A Jonasz, który zawsze marzył o podróżach, gdy ujrzał jej nagie ciało, odkrył świat cały i przemierzył tysiące kilometrów wskroś tej cudownej ludzkiej geografii. Podróżował swymi pieszczotami z północy na południe, ze wschodu na zachód, przepłynął także morze skóry, wspinał się po zboczach jej piersi, aż dotarł na sam szczyt i utonął w dżungli jej włosów, a rozkosz tak była wielka, iż nie tylko objechał wiele razy świat cały dookoła, lecz również dotarł na Księżyc i oglądał gwiazdy. Jonasz czuł się najbardziej męskim mężczyzną świata, a Berta kobietą najszczęśliwszą i najbardziej zarazem nieszczęśliwą, nie mogła bowiem przestać myśleć o swym ojcu. Jej umysł przechodził od szczęścia do najgłębszego smutku w ułamkach sekundy, jej ciało – od zimna do upału; jedynie cudem jakimś nie nastąpiło zwarcie elektryczne w jej głowie; czuła bowiem, że za chwilę wybuchnie.

Tej nocy błyskawice rozświetliły firmament, dały się też słyszeć grzmoty, potem nagle niebo rozbłyskiwało gwiazdami i było gorąco, i znów się chmurzyło, i następowały silne wyładowania, i zimno, potem znowu gorąco. Ponsyjczycy i nawidyjczycy spoglądali na niebo zdumieni, to był największy spektakl pirotechniczny świata; na parę chwil zapomnieli o swych kłopotach. Nawet Pedro Ślepiec stał z rozdziawioną gębą, gdyż huk piorunów był nieprawdopodobny; zdawało się, że niebo za chwilę pęknie. Józef Cieśla wyraził przypuszczenie, iż być może ów fenomen spowodowany był tym, że doña Lucía zaczęła śpiewać w niebie, i jak można się było spodziewać, Pan Bóg i wszyscy święci musieli się nieźle wściec, a jak będzie dalej śpiewać, wyślą ją prościutko do piekła.

Kochankowie rozkoszowali się miłością raz i drugi, aż się rozwidniło. Jonasz, który tak długo czekał, by posiąść Bertę, chciał teraz nadrobić stracony czas i całował ją tyle razy, że należałoby chyba mieć kalkulator, aby zliczyć te pocałunki, a echo raz po raz powtarzało jego słowa miłości, kocham cię, kocham.

Tak oto gdy Długi Jonasz i Długa Berta kochali się w Grocie Wieloryba, w Navidad szykowano się do wojny.

Kiedy mieszkańcy Navidad dowiedzieli się, że ponsyjczycy zablokowali szosę, postanowili zacząć działać. Nawet Dolores Sklepikarka, która była bardzo spokojną niewiastą, okazała wzburzenie i oznajmiła, że też pójdzie walczyć. I wszystkie kobiety się do niej przyłączyły. Również dzieci chciały iść na wojnę, cicho tam, brzdące, to nie zabawa. A ojciec Federico spojrzał w niebo, jeżeli Pan Bóg natychmiast czegoś nie zrobi, to się wszystko źle skończy. I wszyscy przypomnieli sobie śmierć Juana Quintany; choć fizycznym jej sprawcą był Amadeusz Głuptak, prawdziwym winowajcą była cała wioska Ponsa. Alkad Feliciano, któremu mściwe krzyki sąsiadów dodały animuszu, powiedział, że oto nadeszła godzina żemsty. Podczas owego zgromadzenia, trwającego zaledwie trzy minuty, trzy razy padał deszcz, tyleż razy świeciło słońce, było gorąco, a także zimno. Doszło do tak gwałtownych zmian temperatury, że wszystkie termometry w Navidad popękały, gdy tymczasem osioł Fryderyk nawet nie drgnął.

Nawidyjczycy udali się do Ponsy uzbrojeni w kije, motyki, widły i kosy. Józef Cieśla wyprodukował sobie własną broń: była to drewniana listwa, którą osadził w rękojeści. Za nimi szły kobiety, niosące narzędzia domowe, jak patelnie, miotły, moździerze, rondle czy tłuczki do mięsa. W ostatniej chwili Margarita Cifuentes, która nie wychodziła z domu od chwili, kiedy rozstała się ze swym mężem, dołączyła do grupy, ku zdumieniu wszystkich, a szczególnie alkada Feliciana, który zbliżył się do niej i podziękował za to, że się pojawiła. Margarita Cifuentes odpowiedziała skinieniem głowy, szczęściem dla wszystkich nadal była niema. Większość nawidyjczyków szła na wojnę przeziębiona, przy takich zmianach temperatury dziwne było raczej to, że nie wszyscy się rozchorowali. W wiosce pozostali jedynie starcy, no i dzieci, które bardzo płakały, bo chciały iść walczyć, i znowu trzeba im było tłumaczyć, że wojna to nie zabawa; ojciec Federico został mianowany osobą odpowiedzialną za nie wszystkie, był teraz zatem ojcem całej czterdziestki.

A osioł Fryderyk zaczął strzyc uszami i ryczeć, ten jeden jedyny raz w życiu odgadł, że zbliża się straszliwa burza, choć była to burza wywołana przez ludzi; wobec tego, jak się rzeczy miały, albo musiałby nastąpić cud, albo osioł utrafił w dziesiątkę.

Nawidyjczycy już się zbliżali do Ponsy; między jednym kichnięciem a drugim krzyczeli, że żądają sprawiedliwości i śpiewali chórem „Synowie Ponsy nawet martwi nie są naszego honoru warci". Wpadli w jeszcze większą furię, widząc na własne oczy zablokowaną szosę, zawaloną pniami drzew; mogły przejechać jedynie takie pojazdy, jak motocykle lub rowery. Najbardziej jednak oburzył ich widok pomalowanej na błękitno wioski, wszystko zmałpowali, nawet ten afisz, jaki umieścili u wjazdu, głoszący: „Prosimy uszanować strój mieszkańców Ponsy".

Dotarli na główną ulicę, krzycząc „zabójcy"; ponsyjczycy, wiedząc, iż z nawidyjczykami nie ma żartów, najpierw pochowali się w domach. I zaraz rozległ się wrzask „tchórze, jesteście tchórze", a ponieważ nie było z kim walczyć, ci z Navidad rozwalili witryny sklepów, fontannę na ryneczku, ławki, ganki domów i wszystko, co tylko widzieli dookoła. Wtedy właśnie ponsyjczycy odpowiedzieli, najpierw obrzucając ich obelgami, a potem wychodząc na ulicę: naprzód mężczyźni, a za nimi kobiety, gdy zobaczyły, iż niewiasty z Navidad gotowe są walczyć. Niektórzy turyści zwiedzający w tym czasie Ponsę zrazu pomyśleli, że to na pewno jakieś przedstawienie teatralne zorganizowane przez obie wioski, lecz gdy ujrzeli z bliska twarze pełne nienawiści, zrozumieli, że najlepsze, co mogą uczynić, to zmiatać stamtąd czym prędzej.

Tak oto rozpoczęła się wojna między obiema wioskami; jeżeli nie nastąpiła straszliwa masakra, to tylko dzięki temu, że ani jedni, ani drudzy ze względu na swe ubóstwo nie mieli broni palnej. Bitwę tę nazwano „bitwą dwóch kolorów". Całkiem jak w turnieju szachowym, w tym przypadku różowe figury stawały przeciw błękitnym. Ktoś nawet zapewniał, że widział różowego psa walczącego z błękitnym, było to mało prawdopodobne; wszak każdy doskonale wiedział, jak fatalnie skończył jedyny różowy pies w Navidad.

Wszyscy brali udział w walce, tak jak potrafili. Kobiety walczyły ze sobą. Wiele z nich straciło część włosów, naturalnie okazało się przy tym, że niejedna nosiła perukę. Drapały się paznokciami, rozdzierały sobie kiecki, tłukły się patelniami, miotłami. Dolores Sklepikarka należała do najskuteczniejszych – nacierała na mężczyzn, w czym pomocny był jej niski wzrost: tłuczkiem do mięsa waliła ich po najdelikatniejszych częściach ciała, aż się zwijali z bólu, a ona wtedy uśmiechała się zadowolona.

Nawet Pedro Ślepiec uczestniczył w walce, waląc na oślep, lepiej nie da się tego określić, zamierzał się swą laską na wszystko, co mu się nawinęło pod rękę, czasami trafiał, innym razem nie, i tłukł także swoich. Józefowi Cieśli złamał się drewniany miecz na pierwszej głowie, którą uderzył, przy czym okazało się, jak wspominał już o tym Juan Quintana, iż drewno, jakiego używał, było bardzo kiepskiej jakości. Co się zaś tyczy braci Montalbo, dzięki wojnie złączyli ponownie swe siły i podczas gdy jeden nacierał na wroga, drugi osłaniał tyły.

Ponsyjskie dzieci miały więcej szczęścia niż nawidyjskie, pozwolono im bowiem walczyć, choć tylko z balkonów własnych domów. Potraktowały to poważnie, rzucając w nawidyjczyków jabłkami, kulami do gry, ziemniakami, kubłami z wodą, jajkami, gruszkami i wszystkim, co udało im się znaleźć w domach, a korzystając z okazji, najbardziej zmyślne rzucały też szkolnymi książkami. Ponieważ bardzo trudno było trafić z wysoka, dostało się tak jednym, jak i drugim.

Było wielu rannych od ciosów kijem, przyborami kuchennymi, miotłami, patelniami. Inni odnieśli poważniejsze rany, zwłaszcza kilku mężczyzn, którzy otrzymali ciosy nożem lub silne uderzenia w głowę; alkad Feliciano był jednym z najbardziej poszkodowanych, jeden z tych gałganiarzy zadał mu bowiem nożem cios, który ledwie ominął serce. Margarita Cifuentes uratowała mu życie, gdyż zobaczyła mężczyznę, który już miał go zaatakować, i odzyskawszy nagle głos, zawołała alkada po imieniu: Feliciano, uchyl się, i dzięki temu alkad się uchylił, a nóż wbił mu się w ramię.

Stopniowo ponsyjczycy zaczęli zyskiwać przewagę nad nawidyjczykami. Walcząc na własnym terenie, mogli zabarykadować się w domach, a ponadto nie byli tak wyczerpani jak ci z Navidad, którzy od śmierci Juana Quintany prawie wcale nie zaznali snu.

Do Groty Wieloryba dochodziły odgłosy wojny. Jonasz i Berta, przerażeni, wyszli ze swej kryjówki, aby zobaczyć, co się dzieje. Ukryli się za skałkami, zza których mogli patrzeć, jak obie wioski walczą. Berta dosłownie wrosła w ziemię, oczom własnym nie mogła uwierzyć. Czuła się winna wojny, śmierci swego ojca, nieszczęścia, jakie spadło teraz na matkę. Niebo zasnuło się wówczas tak ciemnymi chmurami, iż wydawać by się mogło, że noc już zapadła. Jonasz zdał sobie sprawę, jak wielki jest jej smutek, i przytulił ją do siebie ze wszystkich sił. Zakrył jej oczy, żeby nie widziała owej absurdalnej walki, i oboje skierowali się z powrotem ku Grocie Wieloryba.

Tymczasem w Navidad Alberto Cukiernik, obojętny na wszystko, zdążył już zrobić tyle ciastek, że skończyły mu się wszelkie ingrediencje, Remedios zaś nadal płakała i wstawała z łóżka jedynie za potrzebą. Roberta Anaya również pozostawała zamknięta w domu i z ulicy można było usłyszeć krzyki jej bólu. Ojciec Federico z chęcią by ją nawiedził, lecz jako że miał pod opieką czterdzieścioro dzieci, było to absolutnie niemożliwe, nie miał nawet czasu, by modlić się za tych, co na wojnie. Modliły się za to staruszki, walczyły swymi modłami, pragnąc ubłagać Najświętszą Panienkę, by przywróciła pokój. Jakże wielkie było jednak ich zdumienie, gdy ujrzały, że ktoś zrabował Różowej Panience jej sukienki. Wyszedłszy z kościoła, patrzyły zmieszane na niebo czarne jak węgiel. Ani chybi była to kara Boża.

I zaprawdę niebo musiało być bardzo czarne, obie wioski przerwały bowiem na chwilę walkę, by na nie popatrzeć. Józef Cieśla poczuł jakąś kroplę pod okiem, całkiem jakby to była łza. To samo przydarzyło się alkadowi Feliciano, Margaricie Cifuentes i pozostałym: niebiańskie łzy usadowiły się na ich twarzach i wydawało się, że wszyscy się umówili, że zaczną płakać.

I znowu w Grocie Wieloryba łzy jęły płynąć z oczu Berty, a czyniły to tak szybko, iż łączyły się jedne z drugimi, tworząc istną rzekę bólu. Jonasz próbował ją pocieszyć, na nic jednak się nie zdały jego pieszczoty, pocałunki, słowa powtarzane przez echo, kocham cię, kocham.

A teraz, w strugach deszczu, znów walczyli ponsyjczycy przeciw nawidyjczykom, którzy byli coraz bliżsi porażki. I kiedy wszystko zdawało się już stracone na amen dla tych z Navidad, pojawił się Amadeusz Głuptak. Ludzie zdziwili się bardzo na jego widok, lecz został dobrze przyjęty. W końcu był jednym z nich; rzucił się jak szalony do walki z ponsyjczykami. Lecz padało tak intensywnie, że nic nie było widać i nie dawało się dalej walczyć, a ziemia była tak śliska, że z trudem utrzymywali się na nogach. Niektórzy ponsyjczycy zaczęli chronić się w swych domach, nawidyjczycy także postanowili się wycofać, z wyjątkiem Amadeusza Głuptaka, któremu deszcz zdawał się nie przeszkadzać; nadal rozdzielał ciosy i był teraz jedynym, który walczył z ponsyjczykami, a tymczasem Józef Cieśla krzyczał do niego, żeby zaprzestał walki i wracał z nimi do domu. I Amadeusz Głuptak zdekoncentrował się, słuchając go, i otrzymał cios nożem w samo serce. Pozostał wyciągnięty na ziemi; umarł, a na jego ustach zarysował się uśmiech, który znikł w dniu, kiedy zadał śmierć Juanowi Quintanie. Deszczowa woda, padająca z wielką siłą na jego skrwawione ciało, zabarwiła się na czerwono, a dookoła niego utworzyła się tak ogromna kałuża krwi, że wydawać by się mogło, że wykrwawił się jakiś byk. Amadeusz Głuptak miał otwarte oczy, a woda, która po nich spływała, zdawała się przekształcać w tysiące łez.

Nawidyjczycy wracali do swej wioski w ciszy, wyjąwszy Margaritę Cifuentes, która pomagała iść alkadowi, jako że ranny czuł się bardzo słaby, i znowu trajkotała jak papuga, nic się nie martw, Feliciano, będę się tobą opiekować i wyzdrowiejesz, miałeś więcej szczęścia niż ten biedaczek Amadeusz, niech odpoczywa w pokoju, bla, bla, bla.

A Berta płakała i płakała, jak nigdy dotąd. Jonasz, prócz tego, że zasmucała go jej rozpacz i wojna, czuł się zaskoczony. Nie pojmował, jak Berta może tyle płakać. Kroplami, które wypłynęły z jej oczu, mógłby napełnić z łatwością wiele wiader. Szczęściem dla reszty ludzkości Berta nie była obecna przy śmierci Amadeusza Głuptaka, gdyż przez cały szacunek, jaki wobec niego żywiła ze względu na to, że się pojawił podczas bitwy, bez wątpienia z jej łez powstałby powszechny potop.

Nieubłagany deszcz znów wszystko zatopił. Najpierw ulice, potem partery domów, i obie wioski musiały teraz walczyć, by ratować swe posiadłości. I znów nawidyjczycy napełniali i opróżniali wiadra, lecz po bitwie ci, którzy nie zostali ranni, byli kompletnie wyczerpani i coraz bardziej zaziębieni, a nadludzki wysiłek, jakiego dokonali, na nic się nie zdał, gdyż deszcz padał dużo gwałtowniej niż poprzednio, zanim złożyli ślubowanie. I podczas gdy woda wzbierała, Józef Cieśla pomyślał, że winę za wszystko ponosi doña Lucía, która nadal śpiewała, tym razem w piekle, i na pewno Belzebub musiał się strasznie wściec, a jak będzie dalej śpiewała, wyślą ją znów do nieba i nigdy nie dojdziemy z tym do ładu. I wiatr, który zaczął dąć z wielką mocą, sprzymierzył się z deszczem i pomógł mu dokonać spustoszenia. Kościelny zegar ponownie się zepsuł i, jakimś zbiegiem okoliczności, zatrzymał się dokładnie na siódmej dziesięć, jak przed naprawą.

Po wielu tygodniach ulewnego deszczu mieszkańcy Navidad nie mieli innego wyjścia, jak opuścić wioskę i schronić się wysoko w górach. Nieliczni odmówili opuszczenia swych domostw, pośród nich Alberto Cukiernik i jego żona Remedios, którzy nie mieli już chęci do życia; na niewiele się zdało, że cała wioska powtarzała im, iż ich syn Amadeusz Głuptak zginął jak bohater. Alberto Cukiernik wręczył im wszystkie ciastka, które zrobił, żeby mieli zapas żywności. A kiedy już poszli, położył się do łóżka wraz z Remedios, przytulili się do siebie i tak zapewne umarli.

Ojciec Federico próbował przekonać Robertę Anayę, aby nie zostawała w Navidad, powiedział jej, żeby pomyślała o synu, którego nosi pod sercem, ona jednak nie chciała odejść od Juana Quintany. A Józef Cieśla, który nie mógł dopuścić, by żona jego najlepszego przyjaciela zginęła w odmętach, wziął ją w ramiona i zmusił, aby z nim poszła.

A woda, nie pytając nikogo o pozwolenie, pakowała się we wszystkie kąty: do szaf, zalewając różowe ubrania, z których szybko zaczęła schodzić farba, do pomieszczenia, w którym Józef Cieśla malował swe ciesielskie prace, zalewając puszki z różową farbą; kiedy zaś wtargnęła do pokoju Długiej Berty, zabrała jej miłosne listy, a także znaczki, które jej podarował Jonasz: Francja, Kanada, Egipt i cały świat podróżowały teraz, unosząc się na powierzchni wody. Karczma Pod Różowym Piratem zdawała się statkiem zakotwiczonym w morskim dnie, podobnie jak hotel, a kiedy woda wtargnęła do restauracji, rozpuściła różowe barwniki.

Ściany domów odzyskiwały stopniowo swą dawną barwę, podczas gdy spływały po nich niezliczone różowe krople; w końcu osunęły się ostatecznie. Budynkiem, który najdłużej się opierał, był kościół, w końcu jednak i on się zawalił: dzwony odezwały się po raz ostatni, kiedy spadły wraz z dzwonnicą, uderzając w mechanizm zegara, który, o dziwo, znowu zaczął chodzić przez parę minut, zanim zatrzymał się na zawsze.

Różową Panienkę, która postradała swe różowe sukienki, porwała woda, a prąd zniósł ją na środek nurtu: nad wodę wystawała jedynie jej głowa, wyglądała jak tonąca, a oczy jej były smutne. Także drzewo zakochanych, które niczemu nie było winne, zostało wyrwane z korzeniami, i wraz z nim dryfowały historie miłości tak wielu pokoleń.

Cała wioska znikła pod wodą zabierającą ze sobą wszystko, co napotkała na swej drodze: różowe samochody, różowe stoły, różowe krzesła, różowe lampy, różowe dywany, różowe ręczniki, różowe łóżka, różowe zabawki, różowe ściany, różowe ubrania, różowe przybory kuchenne, różowe motocykle i rowery. Z lotu ptaka widać było olbrzymie koryto zabarwionej na różowo wody, spływającej w dół z wielką prędkością.

To samo zdarzyło się w Ponsie. Ponsyjczycy także musieli opuścić swe domy i schronić się wysoko w górach. Woda zabarwiła się na błękitno i porwała ze sobą błękitne samochody, błękitne ściany, błękitne ubrania, błękitne narzędzia kuchenne, błękitne motocykle i rowery.

Wezbrana fala błękitnej wody pędziła szosą z całym impetem, aż dotarła do miejsca, gdzie zablokowano szosę. Drzewa leżące w poprzek zatrzymywały wodę niczym grobla. Zebrało się jej jednak tak wiele, że ciśnienie rozniosło drzewa na boki i nurt wody mógł z całą furią kontynuować swą wędrówkę.

Tak oto wielka fala różowej wody rodem z Navidad i druga fala wody błękitnej pochodząca z Ponsy połączyły się i stopniowo zaczął ukazywać się inny kolor.

Samolot patrolujący strefę powodzi poinformował wieżę kontrolną, że w dole widoczna jest olbrzymia fioletowa plama.

Epilog

Dziś jeszcze meteorolodzy nie są w stanie wyjaśnić przyczyny katastrofalnych opadów, jakie miały miejsce w Navidad i Ponsie. Nie tylko ze względu na wielką ilość wody, lecz również dlatego, że w pozostałej części prowincji niebo cały czas pozostawało absolutnie bezchmurne. Podobnie pozostały tajemnicą gwałtowne zmiany temperatury, jakie zaobserwowano w dniach poprzedzających Fioletowy Potop. Zwłaszcza w Navidad, gdzie śnieg po raz pierwszy uzasadnił jej nazwę.

Nawidyjczycy naturalnie są przekonani, iż stało się tak dlatego, że złamali ślubowanie i poszli na wojnę, co z całą pewnością nie mogło się spodobać Najświętszej Panience. Wyjaśnienie niezbyt naukowe, lecz najbardziej przekonujące, jakie można było podać.

Obie wioski znikły bezpowrotnie i ich mieszkańcy musieli rozpocząć nowe życie. Niektórzy postanowili jechać do stolicy, gdy tymczasem inni wybrali pobliskie wioski.

Alkad Feliciano i Margarita Cifuentes pojednali się; należeli do tych, którzy przenieśli się do stolicy. Feliciano nie miał wyboru, przynajmniej tyle mógł zrobić, w końcu uratowała mu życie; czasami myśli, że doprawdy lepiej byłoby umrzeć, gdyż Margarita Cifuentes znowu gada jak najęta, a on już nie może słuchać, kiedy opowiada wszystkim, jak to uratowała mu życie. Jedyne chwile spokoju ma u boku poznanej jeszcze w Navidad dziewczyny, z którą nadal widuje się ukradkiem. Prawie nic o niej nie wie, bo nie pozwala jej mówić.

Pedro Ślepiec także osiedlił się w stolicy, gdzie usiłuje żyć z ludzkiego miłosierdzia, lecz konkurencja jest bardzo ostra. Wielu uprawia ten sam zawód: inni ślepcy, jednoręcy, paralitycy, włóczędzy, dziatwa nieletnia. Miewał już nie raz problemy z władzami, które oskarżyły go o ekshibicjonizm, bo z tyloma kobietami dookoła zawsze mu się gdzieś ręka omsknie, a tu w dodatku ten wiecznie rozpięty rozporek.

Bracia Montalbo, jak się już rzekło, dzięki wojnie odnowili swą dawną ścisłą więź. Stworzyli własną trupę teatralną i od wielu już lat przedstawiają w całym kraju tragiczną historię Różowej Wioski, która cieszy się wielkim powodzeniem. Kulminacyjnym momentem całej opowieści jest historia miłości Długiego Jonasza i Długiej Berty, którzy przedzierzgnęli się w dwie marionetki. W końcowej partii przedstawienia okazuje się, że dwoje kochanków tak niezwykłego wzrostu znikło na zawsze; porwał ich silny wicher, który się zerwał podczas Fioletowego Potopu.

Józef Cieśla osiadł w sąsiadującej z Navidad wiosce i zbudował nową stolarnię. Dopomógł Robercie Anai podźwignąć się z nieszczęścia; gdyby nie on, bez wątpienia byłaby umarła. Roberta Anaya powiła córeczkę, a nie synka, o którym marzył Juan Quintana, lecz cóż począć, takie jest życie. I aby podziękować Józefowi Cieśli za wszystko, co dla niej uczynił, postanowiła nazwać ją Gracją. Choć Gracja jest jeszcze mała, już wykazała się bujną wyobraźnią, wykapany ojciec. W wieku zaledwie siedmiu lat składa sobie sama zabawki z resztek drewna, jakimi obdarowuje ją Józef Cieśla, który przepada za małą Gracją i traktuje ją jak własną córkę.

Ojca Federico oddelegowali do wioski gdzieś na północy kraju. Pojechała tam za nim stara Inés i zajęła się wszelkimi sprawami gospodarskimi plebanii, na której zamieszkali. Ojciec bardzo tęskni za swymi dawnymi wiernymi, do których przywiązał się całym sercem. Tęskni nawet za Margaritą Cifuentes, która opowiadała mu o wszystkim, co się działo, i mimo to była dobrą osobą.

Jakimś cudem osioł Fryderyk również przeżył. Pojawił się w parę miesięcy później w okolicach wioski Catapalos. Dzięki deszczom odzyskał swój szary kolor i ani nie ryczy, ani nie wachluje się uszami, ani w ogóle nic. Kiedy jakiś człowiek się doń zbliża, ucieka galopem.

Najlepiej wyszła na tym wszystkim Dolores. Pojechała do stolicy, gdzie mieszkała jej jedyna siostra. Czuła się osamotniona i zagubiona. Być może z powodu jej niskiego wzrostu ogrom miasta przytłaczał ją bardziej niż kogokolwiek innego. Popadła w tak silną depresję, że musiała się znaleźć w szpitalu psychiatrycznym. Tam zakochała się w jednym z pacjentów, który był wdowcem i cierpiał na depresję po stracie żony. Rok później pobrali się. Najlepsze w tym wszystkim było to, że Dolores – nie do wiary – była od niego wyższa. Jest to w końcu zrozumiałe, zważywszy, iż jej małżonek był karłem. Miał na imię Gustavo i pracował w cyrku, który wędrował po całym kraju. Odumarła go żona, karliczka jak on, w której był ogromnie zakochany. Oczy miał błękitne jak niebo. Kiedy się dowiedział, że Dolores jest z Navidad, spytał ją o poznaną niegdyś dziewczynę, która była bardzo wysoka. Dolores zrozumiała, że mówił o Długiej Bercie.

I choć wielu sądziło, że Bertę i Jonasza porwał wiatr, bo tacy byli dłudzy, w rzeczywistości stało się całkiem inaczej: uciekli razem i osiedli w wiosce nieopodal stolicy. Pierwsze miesiące, jakie tam spędzili, były bardzo ciężkie. Jonasz imał się wszelkich prac, a starczało im z ledwością na jedzenie. W dniu kiedy

Długa Berta ukończyła osiemnaście lat, pobrali się. Ksiądz bardzo się dziwił, że nie mają ślubnych obrączek. Nowożeńcy powiedzieli, że owszem, mają, ale w niebie. Tego dnia na firmamencie ukazała się ponownie chmura w kształcie olbrzymiej ślubnej obrączki.

Berta zaszła w ciążę i urodziła syna, dała mu na imię Juan Jonasz dla uczczenia pamięci ojca i miejsca, w którym dziecię zostało poczęte. Juan Jonasz ma już pięć lat i prawie półtora metra wzrostu. Często dzieci nabijają się z niego, że jest taki długi. Berta pociesza go z czułością i wspominając swego ojca, mówi, że osoby, które są tak wysokie, mają naprawdę szczęście, bo są bliżej nieba.

Z chwilą gdy zniknęła Navidad, nikt już więcej nie wspominał legendy o Tęczy. Lecz od tego czasu, w każdą rocznicę śmierci Juana Quintany tam, gdzie mieszka Długa Berta, zawsze pada.

KONIEC

Barcelona, Tossa de Mar (Girona)
i Azory (Portugalia)
wrzesień 1995 – kwiecień 1996

Dzię dzię dzię dzięki że że żeście prze prze
przeczytali tę ę ę ksią ksią książkę.

AMADEUSZ GŁUPTAK

Pani czytelniczko: dziękuję, że przeczytała Pani tę książkę, i mam nadzieję poznać Panią kiedyś osobiście, pewno że Pani strasznie mi się podoba, a najbardziej Pani...

PEDRO ŚLEPIEC

Ja już to mówiłam, że Navidad była wioską, o której można było napisać całe tomy, ale nie tylko od czasu ślubowania Najświętszej Panience, lecz dużo, dużo wcześniej; na ten przykład moja babusia, biedaczka, która tak bogato sobie żyła w stolicy i na nieszczęście musiała się zakochać w nawidyjczyku, i naturalnie kiedy się pobrali, pojechali do Navidad, by tam zamieszkać, i ona, która żyła jak jaka dziedziczka, nagle stała się żoną wieśniaka, bo nim właśnie był mój dziadek: wieśniakiem, i choć miał niemało ziemi i zupełnie nieźle mu się powodziło, to Navidad jest tylko nędzną wioszczyną, i nie ma nawet najskromniejszej herbaciarni dla pań, i nie kupisz tam sobie przyzwoitej kiecki, i co za szczęście, że Feliciano nigdy nie miał nic przeciwko temu, żebym jeździła do stolicy, tam to oczywiście mogę sobie kupić ubranie odpowiednie dla kobiety takiej jak ja, butik Imperial to mój ulubiony butik, właścicielka jest Francuzką i rok w rok jeździ do samego Paryża i tam kupuje suknie, i ja też kiedyś pojadę do Paryża, nie dziś, to jutro, tego jestem pewna, problemem jest tylko Feliciano, nie ma sposobu, żeby go przekonać, mówi, że on woli pracować, jest taki dziwny, jak się pobieraliśmy, nienawidził pracować, a teraz nie wiem, co się z nim porobiło, bla, bla.

MARGARITA CIFUENTES

Cokolwiek powie.

ALKAD FELICIANO

Po kiego diabła mam dziękować czytelnikom,
skoro tak źle skończyłem?

ALBERTO CUKIERNIK

Z rzeczy ziemskich najbardziej mi tu brakuje
lewego cycka mojej Roberty.

JUAN QUINTANA

D od „dzięki" i N od „na razie".

DŁUGA BERTA

Aneks 1

Historia w liczbach:
Ile łez wylała Długa Berta po śmierci swego ojca: 106 567.
Ile razy Jonasz i Berta kochali się w Grocie Wieloryba: 56.
Ile razy Amadeusz Głuptak walił głową w ścianę: 885.
Ile ciastek zrobił Alberto Cukiernik po śmierci swego syna: 995.
Ile ojczenaszek odmówiła stara Inés po potopie: 7395.
Ile słów wypowiedziała Margarita Cifuentes, gdy odzyskała mowę: 85 789 456.
Ile razy zaryczał osioł podczas całej historii: 899.
Ile razy Juan Quintana ssał lewą pierś Roberty Anai aż do swej śmierci: 1729.

Aneks 2

Parametry techniczne lewej piersi Roberty Anai:
- ciężar całkowity: 2050 gramów
- wysokość: 23,5 centymetra
- średnica: 18 centymetrów
- kształt: okrągły, okrągły
- smak: słodziutki
- konsystencja: zwarta i gładka
- kolor: kremowy

Aneks 3

Tabliczka mnożenia dwójki według Amadeusza Głuptaka

$2 \times 1 = 1$

$2 \times 2 = 2$

$2 \times 3 = 5$

$2 \times 4 = 12$

$2 \times 5 = 10$*

$2 \times 6 = 26$

$2 \times 7 = 28$

$2 \times 8 =$ Nie nie nie wie e e em

$2 \times 9 =$ A a a bo o o ja ja ja wie e em

---

* Przypadkiem.

Aneks 4

Kraje, które zwiedziła Długa Berta dzięki znaczkom podarowanym jej przez Jonasza:

- Argentyna
- Kanada
- Egipt
- Stany Zjednoczone
- Hiszpania
- Francja
- Gwatemala
- Indie
- Iran
- Liechtenstein
- Meksyk
- Portugalia
- Rosja

Aneks 5

Sposób na bezsenność Juana Quintany. Liczyć klientów:

1 klient, 2 klientów, 3 klientów, 4 klientów, 5 klientów, 6 klientów, 7 klientów, 8 klientów, 9 klientów, 10 klientów, 11 klientów, 12 klientów, 13 klientów, 14 klientów, 15 klientów, 16 klientów, 17 klientów, 18 klientów, 19 klientów, 20 klientów, 21 klientów, 22 klientów, 23 klientów, 24 klientów, 25 klientów, 26 klientów, 27 klientów, 28 klientów, 29 klientów, 30 klientów, 31 klientów, 32 klientów, 33 klientów, 34 klientów, 35 klientów, 36 klientów, 37 klientów, 38 klientów, 39 klientów, 40 klientów, 41 klientów, 42 klientów, 43 klientów, 44 klientów, 45 klientów, 46 klientów, 47 klientów, 48 klientów, 49 klientów, 50 klientów, 51 klientów, 52 klientów 53 klientów, 54 klientów, 55 klientów, 56 klientów, 57 klientów, 58 klientów, 59 klientów, 60 klientów, 61 klientów, 62 klientów, 63 klientów, 64 klientów, 65 klientów, 66 klientów, 67 klientów, 68 klientów, 69 klientów, 70 klientów, 71 klientów, 72 klientów, 73 klientów, 74 klientów, 75 klientów, 76 klientów, 77 klientów, 78 klientów, 79 klientów, 80 klientów, 81 klientów, 82 klientów, 83 klientów, 84 klientów, 85 klientów, 86 klientów, 87 klientów, 88 klientów, 89 klientów, 90 klientów, 91 klientów, 92 klientów, 93 klientów, 94 klientów, 95 klientów, 96 klientów, 97 klientów, 98 klientów, 99 klientów, 100 klientów, 101 klientów, 102 klientów, 103 klientów, 104 klientów, 105 klientów, 106 klientów, 107 klientów, 108 klientów, 109 klientów, 110 klientów, 111 klientów, 112 klientów,

113 klientów, 114 klientów, 115 klientów, 116 klientów, 117 klientów, 118 klientów, 119 klientów, 120 klientów, 121 klientów, 122 klientów, 123 klientów, 124 klientów, 125 klientów, 126 klientów, 127 klientów, 128 klientów, 129 klientów, 130 klientów, 131 klientów, 132 klientów, 133 klientów, 134 klientów, 135 klientów, 136 klientów, 137 klientów, 138 klientów, 139 klientów, 140 klientów, 141 klientów, 142 klientów, 143 klientów, 144 klientów, 145 klientów, 146 klientów, 147 klientów, 148 klientów, 149 klientów, 150 klientów, 151 klientów, 152 klientów, 153 klientów, 154 klientów, 155 klientów, 156 klientów, 157 klientów, 158 klientów, 159 klientów, 160 klientów, 161 klientów, 162 klientów, 163 klientów.... Aż do zaśnięcia.

Aneks 6

Obelgi, jakimi obrzucono Jonasza w Navidad:

skurwysyn
świnia
narwaniec
tyka
wieprz
tępol
niedorobiony
cham
przygłup
gamoń
pomyleniec
głupol
prostak
kundel
ćwierćmózg
mongoł
tuman
jełop
matoł
sukinsyn

spod ciemnej gwiazdy
bez jaj
pedał
zwierzę
dureń
niedorozwój
degenerat
kretyn
bydlę
debil
rogacz
kukła
dureń
gąsior
idiota
bękart
osioł
osesek
judasz
knur

Aneks 7

Zjawiska meteorologiczne, jakie miały miejsce w Navidad w godzinach następujących po śmierci Juana Quintany:

słońce

pochmurno

pogoda zmienna

deszcz

front zimny

burza

śnieg

front ciepły

Aneks 8

Liczba liter zawartych w książce:

Litera A:	18 173
Litera Ą:	1180
Litera B:	3847
Litera C:	7026
Litera Ć:	1319
Litera D:	6638
Litera E:	14 068
Litera Ę:	2925
Litera F:	329
Litera G:	2625
Litera H:	1540
Litera I:	16 750
Litera J:	4493
Litera K:	6006
Litera L:	3482
Litera Ł:	5874
Litera M:	4952
Litera N:	9482
Litera Ń:	257
Litera O:	13 207
Litera Ó:	1754
Litera P:	4801
Litera Q:	212

Litera R:	6977
Litera S:	7299
Litera Ś:	1491
Litera T:	6448
Litera U:	4148
Litera V:	121
Litera W:	7419
Litera X:	0
Litera Y:	7427
Litera Z:	10 565
Litera Ż:	2406
Litera Ź:	108
Razem:	186 889

Warszawskie Wydawnictwo Literackie
MUZA SA
ul. Marszałkowska 8, 00-590 Warszawa
tel. (0-22) 827 77 21, 629 65 24
e-mail: info@muza.com.pl

Dział zamówień: (0-22) 628 63 60, 629 32 01
Księgarnia internetowa: www.muza.com.pl

Warszawa 2003
Wydanie I

Skład i łamanie: MAGRAF s.c., Bydgoszcz
Druk i oprawa: ABEDIK, Poznań